CÁLCULO

PEÇA EM DOIS ACTOS
• DE CARL DJERASSI •

TRADUÇÃO
DE MÁRIO MONTENEGRO

IMPRENSA DA UNIVERSIDADE DE COIMBRA

COIMBRA • 2011

COORDENAÇÃO EDITORIAL

Imprensa da Universidade de Coimbra
Email: imprensauc@ci.uc.pt
URL: http://www.uc.pt/imprensa_uc
Vendas online: http://www.livrariadaimprensa.com

CONCEPÇÃO GRÁFICA

António Barros

INFOGRAFIA

Carlos Costa

EXECUÇÃO GRÁFICA

Europress

ISBN

978-989-26-0123-6

DEPÓSITO LEGAL

335329/11

A versão original inglesa foi publicada em 2003 pela Imperial
College Press/World Scientific Publishing Co

SUMÁRIO

PREFÁCIO A *"CÁLCULO"* DE CARL DJERASSI

Um dos maiores confrontos intelectuais de todos os tempos foi o que ocorreu, no início do século XVIII, entre o inglês Isaac Newton e o alemão Gottfried Wilhelm von Leibniz. O motivo da polémica foi o da invenção do cálculo infinitesimal, um ramo da matemática que acabou por mudar o mundo. De uma maneira resumida, o cálculo infinitesimal permite efectuar previsões sobre o movimento de um objecto desde que se conheça a sua posição e a sua velocidade. Por outras palavras, permite conhecer antecipadamente o futuro a partir de informação sobre o presente. Sem o cálculo não poderíamos nunca ter colocado astronautas na Lua nem, algo computacionalmente mais intrincado embora pareça trivial pois os resultados são publicados todos os dias nos jornais, saber o tempo meteorológico que vai fazer amanhã.

Hoje sabemos que Leibniz publicou primeiro os fundamentos do cálculo – e isso em ciência, pelo menos modernamente, é o que conta – embora, trabalhando de modo independente e usando outras notações, Newton se tenha antecipado a ele. Hoje em dia, apesar de Newton ter ficado mais famoso na galeria mundial dos sábios, preferimos usar as notações de Leibniz, um polímato com formação jurídica que deu não só inestimáveis contributos à ciência como, principalmente, à filosofia. Aliás ele deu também cartas nas leis, na religião, na história, na política e na literatura, revelando-se por isso um pensador muito mais completo do que Newton, que se concentrou à luz do dia na física, ao mesmo tempo que se dedicava na obscuridade à alquimia e à teologia.

A polémica entre os dois gigantes foi bem mais longe do que a disputa na primazia de um grande ramo da árvore da matemática: eles discutiram, embora Newton usasse uma interposta pessoa, o papel de Deus no mundo. Para Newton, Deus tinha criado o Universo, mas este não poderia funcionar sem intervenções pontuais da divindade. Havia uma espécie de "Deus de fato macaco" que aparecia no mundo a fazer uns trabalhinhos de vez em quando, um pensamento que Lebniz considerava uma evidente heresia, pois ele significaria que Deus não seria perfeito e, portanto, não seria Deus. E a isto contrapunha Newton, pela voz do seu amigo Samuel Clarke, que a ideia de que o mundo é uma máquina, que funciona sozinha, tende a *"banir do Mundo a Providência e a governação de Deus"*. Era, cúmulo da balasfémia, chamar preguiçoso a Deus. Cada um chamava ímpio ao outro, a pior acusação que se podia fazer na época.

A peça de teatro do químico norte-americano Carl Djerassi que aparece aqui vertida em bom português pela mão do encenador e actor Mário Montenegro, precedida por uma nota do autor sobre as personalidades que são retratadas no enredo, é um magnífico contributo para a cultura científica portuguesa. Serve-se da linguagem muito expressiva do teatro para nos dar conta não só dos problemas do tempo da Revolução

Científica – que não são no caso o que mais importa – mas também das perenes questões que têm a ver com o carácter humano da ciência. A construção da ciência é um drama que se insere no grande drama humano no mundo. A personalidade de Newton, em particular, dá ensejo, no teatro, à criação de um personagem que é ao mesmo tempo um génio e um vilão. Um grande génio, é certo, mas também um grande vilão, uma pessoa que, de forma inteligente, não hesita em escolher refinados meios para alcançar os seus pérfidos fins. Em particular, presidindo à Real Sociedade de Londres (*Royal Society*), a sociedade científica mais antiga do mundo em contínua actividade (foi fundada em 1660 e reconhecida dois anos mais tarde pelo rei Carlos II, o marido da nossa Catarina de Bragança), não hesitou em nomear uma comissão internacional de sábios inteiramente controlada por ele e com trabalho em larga medida fictício para lhe dar inteira razão na polémica da invenção, ou como alguns preferem, da descoberta do cálculo. Leibniz, sem ser ter sido visto nem achado, acabou condenado como um reles plagiador.

De Djerassi já existia na dramaturgia traduzida em português a peça *Oxigénio*, sobre a polémica associada à descoberta desse elemento químico, escrita em co-autoria com o Prémio Nobel da Química norte-americano Roald Hoffmann, que foi publicada pela Editora da Universidade do Porto em 2005 e posta em cena nesse mesmo ano pela companhia Seiva Trupe do Porto. Tinha, no ano anterior, sido representada no Teatro da Trindade, em Lisboa, a sua peça *Esse Espermatozóide é Meu*. Mas ainda não foi até à data representada entre nós uma sua peça *Three in a Couch*, inspirada nos heterónimos de Fernando Pessoa... O autor dá-nos em *Cálculo*, cuja representação é estreada em Coimbra, pelo grupo Marionet, quase em simultâneo com o lançamento deste livro, uma visão bastante original da polémica setecentista sobre as origens do cálculo. Em vez de Newton e Leibniz o embate é entre dois dramaturgos, os Senhores John Vanbrugh e Colley Cibber (de resto personagens reais da época). E há um teatro dentro do teatro, um pouco à maneira de grandes clássicos como William Shakespeare, em *Sonho de uma Noite de Verão*, e

Bertolt Brecht, em *O Círculo de Giz Caucasiano*. Quase não há matemática, excepto num trecho em que um matemático come uma maçã – que outro fruto poderia ser? – mais depressa e mais devagar para explicar a noção de velocidade. Não há nenhum cálculo. Mas há pessoas calculistas. Há questões pessoais, retratos psicológicos, problemas éticos, tudo isso coisas que são bem anteriores ao século das luzes e que permanecem actuais nos tempos de hoje.

Carl Djerassi, que é professor jubilado da Universidade de Stanford, nos Estados Unidos, confrontado com a ameaça de um cancro, resolveu mudar de vida. De cientista passou a escritor, procurando como ele diz fazer *"science-in-theatre"*, isto é, colocar a ciência dentro da ficção: *"Procuro contrabandear ciência na ficção para que a pessoas de divirtam e ao mesmo tempo aprendam"*. Mário Montenegro, engenheiro de formação que competentemente dirige a companhia Marionet, tem revelado particular atracção pela sua obra, até porque lhe dedicou uma boa parte da sua tese de mestrado em texto dramático na Universidade do Porto. Agora só me resta, antes de abrir o pano, desejar que tanto os leitores do livro como os espectadores da peça se divirtam e aprendam. Que aprendam não tanto o que é a velocidade, e o que ela tem a ver com a mudança, mas mais que a natureza humana, desde os tempos das peças dos gregos Eurípides e Aristófanes, até à actualidade, aos tempos das peças dos autores anglo-saxónicos Tom Stoppard e Carl Djerassi, não mudou assim tanto como isso.

Carlos Fiolhais
Professor de Física na Faculdade de Ciências
e Tecnologia da Universidade de Coimbra

INTRODUÇÃO DO AUTOR

Praticamente todas as sondagens da escolha do público para as pessoas mais importantes do segundo milénio incluem o nome de Isaac Newton. Uma sondagem publicada na edição de 12 de Setembro de 1999 do *Sunday Times Magazine* de Londres classificou-o em primeiro lugar, acima mesmo de Shakespeare, Leonardo da Vinci, Charles Darwin e similares estrelas canonizadas. Entre os seus feitos de mais relevo está a investigação, começada por volta de 1670, sobre a luz e a cor (publicada finalmente em 1704 no seu livro *Opticks*), mas ele é mais conhecido pela enunciação das leis do movimento e da gravitação e as suas aplicações à mecânica celeste, como está sumariado num dos maiores tomos da ciência, o *Philosophiae Naturalis Principia Mathematica*, habitualmente encurtado para *PRINCIPIA* – cuja primeira versão foi publicada em 1687.

O ter colocado a Física sobre uma firme fundação experimental e matemática – uma abordagem cunhada de "Newtonismo" – granjeou a Newton a honra máxima de ser considerado o pai do pensamento científico moderno. Contudo, uma análise histórica revisionista, baseada, em parte, na descoberta do economista John Maynard Keynes de um enorme acervo de papéis e documentos não publicados, levou alguns investigadores a considerar Newton como o último grande místico em vez de primeiro cientista moderno. Apesar do seu trabalho em Física e Matemática ter desencadeado a época do Iluminismo, os historiadores revisionistas salientam que, nem como pessoa, nem como intelecto, ele lhe pertencia. À medida que, na última metade do século XX, se iniciou o desmascarar de alguma da hagiografia em torno de Newton, tornou-se evidente que este despendia muito mais tempo com a Alquimia e a Teologia Mística do que com a "ciência" – tendo escrito mais de um milhão de palavras sobre cada um destes dois interesses, muito mais do que todos os seus escritos sobre Física juntos! A sua biblioteca alquímica era enorme e as suas experiências alquímicas, embora mantidas secretas para todos à excepção de alguns de íntimos e alguns criados, consumiram muitas das suas horas do dia durante décadas. Até as suas convicções religiosas tiveram de ser mantidas em segredo, porque a sua fé no Arianismo (que sustenta que Cristo e Deus não têm a mesma essência) era considerada herética no seio da Igreja Anglicana.

Nascido no dia de Natal no ano da morte de Galileu, Newton estava tão convencido dos seus poderes sobrenaturais que uma vez construiu um anagrama do seu nome (Isaacus Neutonus) em termos de "aquele que é sagrado para Deus" (Jeova sanctus unus). O seu estatuto de membro do Trinity College e de professor "Lucasiano" de Matemática em Cambridge (um cargo agora ocupado por Stephen Hawking), a sua posterior promoção para o importante cargo governamental de Master of the Mint[1], e a concessão do título de cavaleiro pela rainha Anne, teriam exigido uma clara adesão e até ordenação na Igreja Anglica-

---

[1] Provedor da Casa da Moeda

na. Contudo, Newton conseguiu evitá-la durante toda a sua vida de adulto, tendo um desafio aberto apenas surgido em 1727, no momento da sua morte, com oitenta e cinco anos, quando recusou os últimos ritos. Mesmo este incumprimento não impediu um funeral de estado na Abadia de Westminster, nem a inauguração aí, em 1731, de um monumento como justo reconhecimento das suas elevadas contribuições para a ciência e dos seus serviços à Inglaterra.

Como pessoa, Newton não só era profundamente complexo, como também moralmente imperfeito. Alguns adjectivos que poderiam ser utilizados para descrever as facetas da sua personalidade são distante, solitário, reservado, introvertido, melancólico, "sem sentido de humor", puritano, cruel, vingativo e, talvez o pior de todos, implacável. Mesmo uma das mais famosas citações de Newton, "Se eu vi mais além foi por me apoiar nos ombros de gigantes", está aberta a diferentes interpretações. Muitas vezes citada como um sinal da sua modéstia, foi também interpretada como o derradeiro embrulhar venenoso de uma carta dissimuladamente cortês endereçada a um dos seus mais pungentes inimigos científicos, Robert Hooke, de pronunciada estatura anã. Vale a pena assinalar que a origem da frase antecede longamente Newton, uma vez que remonta pelo menos a John Salisbury, no século XII.

O traço de carácter mais relevante para a presente peça, *Cálculo*, é a natureza obsessivamente competitiva de Newton. Frank E. Manuel escreveu em 1968, numa das grandes biografias de Newton, que "a violência, a amargura, e a paixão incontrolada dos ataques de Newton, embora dirigidos através de canais socialmente aceites, são quase sempre desproporcionados face aos factos apurados e ao carácter das situações". Este argumento, que caracteriza alguns dos conflitos mais conhecidos e acutilantes de Newton como aqueles com o físico Robert Hooke ou John Flamsteed, o astrónomo real, aplica-se como uma luva à batalha, longa de décadas, com um contemporâneo alemão de proeza intelectual quase semelhante, Gottfried Wilhelm von Leibniz.

Para além das suas contribuições monumentais para a Física, sumariadas no seu *PRINCIPIA*, Newton foi também um inventor do Cálculo (a que primeiro chamou "Método de Fluxões"). No alto do Parnaso ou no fundo do túmulo, ele exclamaria imediatamente: "Um inventor? Não fui eu o criador do Cálculo – um alicerce da matemática moderna uma vez que revelou pela primeira vez a relação entre velocidade e área?" Porque será que tal génio colocaria sequer tal questão? Porque Sir Isaac era também um ser humano falível, para quem a prioridade – e especialmente a prioridade quanto ao Cálculo – importava acima de tudo o resto.

Mas a prioridade só pode ser estabelecida após se ter chegado a um acordo quanto à definição do termo. E, em ciência, onde múltiplas descobertas independentes ocorrem demasiado frequentemente, semelhante definição, sem ambiguidades, ainda não foi produzida. Por exemplo, na peça *Oxigénio* (escrita em conjunto com Roald Hoffmann) perguntámos se a derradeira honra da descoberta do oxigénio – um acontecimento que desencadeou a revolução da química moderna – deveria ser atribuída ao primeiro descobridor, à pessoa que primeiro publicou, ou àquele que primeiro compreendeu a natureza da descoberta. No caso do Cálculo, é agora claro que Newton foi o primeiro em termos de concepção, mas Leibniz o primeiro em termos de publicação. Mas uma vez que, de acordo com o pensamento e as palavras de Newton, "segundos inventores não têm direitos", a resolução desta disputa de prioridade requereu, para ele, uma luta até à morte, como um gladiador num circo romano. Mas, ao contrário dos gladiadores, Newton era um mestre consumado no uso de sub-rogados, tendo continuado a luta mesmo após o enterro de Leibniz em 1716.

A luta pela prioridade do Cálculo – com cada um dos protagonistas, no limite, a acusar o outro de pirataria – foi, nas palavras de William Broad, "travada na sua maior parte pelo amontoado de pequenos escudeiros que rodeavam os dois grandes cavaleiros". É através da história de alguns dos "pequenos escudeiros" de Newton que a peça

Cálculo procura examinar um dos maiores lapsos éticos daquele.

O cenário foi concebido por Nicolas Fatio de Dullier, um brilhante filósofo natural de uma família de Genebra, que se tornou no mais bajulador discípulo de Newton. Nos últimos anos têm vindo à superfície provas indirectas, mas razoavelmente persuasivas, de uma atracção homossexual (embora não consumada) entre Newton e Fatio, vinte anos mais novo. Por vezes intitulado de "o macaco de Newton", Fatio disparou a primeira salva brutal, acusando abertamente Leibniz de plágio. Tal como Newton, Fatio nunca casou; tal como Newton, entregou-se a experiências alquímicas e ao fanatismo religioso; mas, ao contrário do seu mentor, ele foi muito mais além nesta matéria ao associar-se abertamente aos Profetas de Cevennes, que "falavam em línguas" e ficavam possessos durante êxtases religiosos. A acusação de Fatio a Leibniz não teve seguimento, em parte devido aos excessos religiosos do primeiro, mas em 1708 outro leal seguidor de Newton, John Keill (um membro da Royal Society assim como "um cavalo guerreiro, cujo ardor era tão intenso que por vezes Newton tinha de puxar as rédeas"), repetiu formalmente a acusação de plágio a Leibniz – uma acusação publicada no *Philosophical Transactions* da Royal Society, em 1710. E quando Leibniz, enquanto membro estrangeiro da Royal Society, exigiu uma retractação oficial, Newton, na sua qualidade de presidente, criou uma comissão de onze membros da Royal Society ("um Comité Numeroso de Cavalheiros de várias Nações") para julgar o conflito. A 24 de Abril de 1712, um relatório de cinquenta e uma páginas (parcialmente em Latim e repleto de referências a cartas privadas assim como a cartas e documentos publicados, fundamentalmente na posse de John Collins, correspondente de Newton) foi publicado pela Royal Society sob o título *Commercium Epistolicum Collini & aliorum* ("troca de correspondência entre Collins e outros") no qual a acusação de Keill era totalmente apoiada.

Tal procedimento, gritantemente tendencioso, embora claramente condenável, era, apesar de tudo, de esperar, tendo em conta que Newton, enquanto presidente da Royal Society, tinha indirectamente nomeado o Comité. Mas um exame minucioso revela pormenores ainda mais obscuros.

A composição do Comité, que nunca subscreveu abertamente o documento, manteve-se desconhecida por mais de cem anos. Não só se sabe agora a identidade dos onze membros, mas, ainda mais importante, as datas das suas nomeações. O famoso astrónomo Edmond Halley, o médico e reputada personalidade literária John Arbuthnot, e os menos conhecidos William Burnet, Abraham Hill, John Machin e William Jones, foram todos nomeados a 6 de Março de 1712. Francis Robartes (conde de Radnor) foi acrescentado a 20 de Março, Louis Frederick Bonet (o representante em Londres do rei da Prússia) a 27 de Março, e mais três membros, Francis Aston e os matemáticos Brook Taylor e Abraham de Moivre, a 17 de Abril.

Porque serão estas datas importantes? Porque é manifestamente impossível que, pelo menos os últimos três membros, nomeados a 17 de Abril, tivessem algo a ver com um longo e complicado relatório <u>lido publicamente</u> 7 dias depois! De facto, nenhum dos onze membros era responsável enquanto autor, porque o próprio Newton escrevera o relatório! E, apesar do argumento de que o Comité era composto por "Cavalheiros de várias Nações", apenas dois dos onze – Bonet e de Moivre – poderiam ser categorizados como estrangeiros. No caso de Bonet, sabe-se tão pouco acerca dele que nem sequer o Sackler Archive Resource of Fellows da Royal Society contém a sua data e local de nascimento, embora os arquivos alemães e suíços lancem alguma luz sobre ele. Poder-se-á legitimamente perguntar qual a razão por que um grupo tão variado de membros da Royal Society, alguns deles da mais elevada distinção, ter-se-iam permitido ser tão descaradamente manipulados por Sir Isaac Newton – ostensivamente escolhidos para serem cães de guarda e depois rapidamente transformados em cães de circo mudos.

Cálculo traz alguma compreensão conjectural a este escândalo científico, através das personalidades de John Arbuthnot e dos dois estrangeiros, Louis Frederick Bonet e Abraham de Moivre, estando a maior parte das referências biográficas fortemente alicerçadas em registos históricos. E, apesar do encontro específico, em *Cálculo*, dos dois dramaturgos Colley Cibber e Sir John Vanbrugh ser inventado, ambos são personagens históricas cujas respectivas peças *Love's Last Shift* e *The Relapse: Or Virtue in Danger* e a sua derradeira colaboração, *The Provok'd Husband*, são parte do orgulhoso cânone do drama inglês da Restauração.

(Época: 1712 – 1731, Londres - principalmente no Drury Lane Theatre, na antecâmara da Royal Society e num salão)

ELENCO POR ORDEM DE ENTRADA EM CENA

COLLEY CIBBER (1671 – 1757), dramaturgo, actor, empresário de teatro e, finalmente, poeta laureado (1730). Parceiro literário de Vanbrugh, inimigo literário de Alexander Pope e John Arbuthnot. Autor de *Love's Last Shift* (1696) e de outras peças. Completou, em 1728, a peça *The Provok'd Husband*, de Vanbrugh.

SIR JOHN VANBRUGH (1664 – 1726), dramaturgo, arquitecto (do Castle Howard e do Blenheim Palace), conselheiro de George I. Autor de *The Relapse: Or Virtue in Danger* (1696), uma sequela com elevado sucesso de *Love's Last Shift*, de Cibber, assim como de outras peças. Um dos primeiros directores da Royal Academy of Music.

GOTTFRIED WILHELM LEIBNIZ (1646 – 1716), nascido em Leipzig, um dos maiores polímatos alemães. Foi impulsionador de academias científicas, incluindo a Sociedade de Ciências de Brandeburgo (Academia de Berlim) em 1700, da qual foi nomeado presidente vitalício. Formado em Direito e Filosofia, génio matemático autodidacta, acabou por inventar (independentemente, embora mais tarde que Newton) o Cálculo com as notações usadas ainda hoje, e também se interessou pela criação de uma máquina de calcular mecânica. Em 1710 publicou *Théodicée*, onde racionaliza a existência do Mal num mundo criado por um Deus bom. Escritor de cartas universal (em francês, alemão e latim), com mais de mil e cem correspondentes. Fundamentalmente ao serviço do tribunal de Hanôver, nunca deteve cargos académicos formais. Eleito membro da Royal Society em 1673 e da Academia Francesa das Ciências em 1701. Morreu em Hanôver em 1716.

Para ser representado pelo mesmo actor de Colley Cibber, com sotaque alemão.

SIR ISAAC NEWTON (1642 – 1727). O maior matemático e filósofo natural de Inglaterra, também submerso, ao longo de décadas, em alquimia e teologia herética. Enunciou as leis do movimento e da gravitação e a sua aplicação à mecânica celeste. Contribuiu de forma fundamental para o estudo da luz e da cor assim como inventou uma forma do Cálculo (por si intitulada de "Método das Fluxões"). Autor de dois dos mais importantes livros em ciência: *Philosophiae naturalis principia mathematica* ("Principia") e *Opticks*. Membro da Royal Society a partir de 1672, presidente da Royal Society (1703 – 1727), eleito em 1669 professor "Lucasiano" de Matemática da Universidade de Cambridge, nomeado, em 1699, provedor da Casa da Moeda e armado cavaleiro em 1705 pela rainha Anne. Conhecido pelas suas lutas ferozes com outros cientistas (e.g. Robert Hook e John Flamsteed), mas nenhuma mais longa e feroz do que aquela com Leibniz. Sepultado na Abadia de Westminster, onde um monumento em sua honra foi erigido em 1731.

Para ser representado pelo mesmo actor de Sir John Vanbrugh.

MARGARET ARBUTHNOT (? - 1730), esposa de John Arbuthnot, mãe de seis crianças.

LOUIS FREDERIC BONET (1670 – 1730), cidadão de Genebra, ministro do rei da Prússia em Londres (1696 – 1719) e posteriormente "síndico" e senador em Genebra. Formado em Medicina e Direito; prosélito protestante. Membro da Royal Society a partir de 1711, e da Academia de Berlim a partir de 1713. [Membro da comissão anónima de 1712 da Royal Society].
(fala com sotaque francês perceptível)

ABRAHAM DE MOIVRE (1667 – 1754), matemático nascido e educado em França, passou a sua vida de adulto desde 1687 em Inglaterra. Membro da Royal Society a partir de 1697. [Membro da comissão anónima de 1712 da Royal Society]
(fala com acentuado sotaque francês)

JOHN ARBUTHNOT (1667 – 1735), nascido e educado na Escócia, médico da rainha Anne, algum conhecimento matemático (estatística), escritor espirituoso e satírico, amigo de Pope, de Swift, de John Gay e de Thomas Parnell (membro fundador do Scriblerus Club em 1714). Autor da alegoria política *History of John Bull* onde caracteriza o inglês típico. Membro da Royal Society a partir de 1704. [Membro da comissão anónima de 1712 da Royal Society].

LADY BRASENOSE, uma *"salonnière"* londrina. *(fala com acentuado sotaque de classe alta)*

UMA CRIADA, em casa do Dr. e da Sra. Arbuthnot.

POLLY, uma ingénua, em Drury Lane.

UMA CAMAREIRA, em Drury Lane.

RESTANTES MEMBROS DA COMISSÃO ANÓNIMA
DE 1712 DA ROYAL SOCIETY

*(actores silenciosos ou manequins vestidos,
na cena 3)*

FRANCIS ASTON (1645 – 1715), amigo de Newton,
estudaram juntos, e foram eleitos simultaneamente
membros do Trinity College, em Cambridge.

WILLIAM BURNET (1688 – 1729), posteriormente Governador de New York e de New Jersey
(1720), e, mais tarde, de Massachusetts (1728) e
de New Hampshire (1729).

EDMOND HALLEY (1656 – 1742), "Se não
fosse Halley, o *PRINCIPIA* de Newton não teria
existido... Ele pagou todas as despesas, corrigiu
as provas, pôs de lado o seu próprio trabalho
para apressar ao máximo a publicação. Todas as
suas cartas mostram a sua intensa devoção a essa
obra."

ABRAHAM HILL (1633 – 1721), Membro fundador da Royal Society, posterior e sucessiva-

mente Tesoureiro, Secretário e Vice-presidente; amigo de Edmond Halley.

WILLIAM JONES (1675 – 1749), filho de agricultores galeses, nomeado para a Royal Society em 1712 pouco antes de o Comité reunir. Matemático pouco importante, mas apresentou o símbolo "pi" com o seu significado actual, e em 1711 publicou o *De Analysi*, de Newton – um dos primeiros tiros na batalha da prioridade com Leibniz.

JOHN MACHIN (1680 – 1751), eleito para a Royal Society em 1710, em 1711 tornou-se, sob recomendação de Newton, professor de Astronomia no Gresham College. Newton descreveu-o como o homem que "percebeu o *PRINCIPIA* melhor do que qualquer outro."

FRANCIS ROBARTES, conde de Radnor, (1650 – 1718), membro do Parlamento (1673 – 1718), também Commissioner of Revenue for Ireland (1710 – 1714), movia-se nos círculos sociais de Newton.

BROOK TAYLOR (1685 – 1731), eleito para a Royal Society em 1712, formado em Cambridge. Não havia publicado nada à época da sua eleição para a Royal Society (1712) e a sua nomeação para o Comité foi "um claro sinal de favorecimento" da parte de Newton. Um dos matemáticos ingleses mais vorazes na competição que existia com o continente.

PRIMEIRO
ACTO

CENA 1

Londres, 1725. Colley Cibber e Sir John
Vanbrugh encontram-se no escritório com
armazém na parte superior do Drury Lane
Theatre. Cibber acabou de sair de cena e está
a despir o seu figurino quando Sir John entra.

VANBRUGH: Colley Cibber!

CIBBER: Sir John, um seu humilde servo.

VANBRUGH: Porque não apenas "John"? Era o
que costumavas chamar-me.

CIBBER: *(Ri.)*: E tu costumavas chamar-me
"Colley".

VANBRUGH: E Colley será. Mas nada mudou...
para além de um quarto de século?

CIBBER: Na altura escreveste uma peça que de
tempos a tempos ainda agracia o nosso palco.

VANBRUGH: Fico contente que ainda te lem-
bres de *The Relapse*.

CIBBER: O teu maior triunfo!

VANBRUGH: É a minha favorita. No entanto os nossos preciosos críticos condenaram-na pela sua "abordagem ao sexo descaradamente carnal".

CIBBER: Oh... críticos!

VANBRUGH: Nunca teria sido escrita se eu não tivesse assistido no ano anterior ao desejo do público para ver a tua *Love's Last Shift*. "Gigantes na perversidade", chamaram-nos aos dois!

CIBBER: Imbecis!

VANBRUGH: E acusaram-me de "debochar o palco para lá da devassidão de todos os tempos".

CIBBER: Após todos estes anos – ainda te enfurece?

VANBRUGH: Alguns insultos continuam a infectar. Mas eu terei a minha vingança sobre

aquele que aspiram a purificar o nosso teatro
à sua "mais perfeita do que a tua" imagem.
Esses pigmeus da piedade que tentam destruir
a minha reputação! Desejosos de expulsar as
minhas peças dos palcos ingleses! A espumar
de indignação nos seus opúsculos e panfletos!
Consagrando-se a si próprios como "Sociedade
para a Restauração das Boas Maneiras"!... Eu
dou-lhes as boas maneiras!

CIBBER: De arquitecto de peças vieste a
tornar-te arquitecto de palácios.

VANBRUGH: Um pecado?

CIBBER: De modo algum! Mas a sua escala!
Primeiro, Castle Howard, depois Blenheim...

VANBRUGH: Blenheim Palace exigia-o. Um
tributo à altura da vitória do duque de Marlbo-
rough.

CIBBER: Sem dúvida, sem dúvida... o maior
palácio alguma vez construído... e conseguiu-te

o seres armado cavaleiro. Mas, após todos
estes anos, vingares-te dos teus críticos?
John, aconselho-te a esquecer... se não mesmo
perdoar...

| *(Sir John fica silencioso.)*

CIBBER: Estou a ver. *(Pausa.)* Necessitas da
vingança para lancetar a pústula.

VANBRUGH: É um método eficiente.

CIBBER: Dependendo da escolha do instrumen-
to. E qual é o teu, se posso perguntar?

VANBRUGH: Escrever uma peça, claro. Uma
peça escandalosa.

CIBBER: E pôr-te assim à disposição de renova-
das acusações de desvio moral?

VANBRUGH: Comecei como dramaturgo... fui
insultado como dramaturgo... desejo acabar
como dramaturgo... e vingar-me como tal.

CIBBER: Através de uma peça escandalosa?

VANBRUGH: Sim... mas sem sexo!

CIBBER: Um escândalo... sem sexo?

| *(Vanbrugh assente.)*

CIBBER: Uma aventura ou duas, talvez?

VANBRUGH: Nada de aventuras!

CIBBER: Como pode então ser escandalosa?

VANBRUGH: Têm o sexo e o escândalo de estar sempre emparelhados?

CIBBER: Ajuda... especialmente no palco.

VANBRUGH: Colley, vou mostrar que o verdadeiro escândalo é o da mente.

CIBBER: Isso intriga-me, John. E procuras o meu conselho?

VANBRUGH: Isso... e a tua ajuda. Não és apenas actor... também te destacas como empresário de teatro e dramaturgo... Qualquer dia poderás, inclusive, tornar-te poeta laureado...

CIBBER: Basta! Lisonjeias-me... o que precisas de mim?

VANBRUGH: Nunca me levaste a mal ter construído a minha peça, *The Relapse*, apoiada no teu sucesso.

CIBBER: O Teatro é suficientemente grande para nós os dois.

VANBRUGH: Bem dito, Colley... e é mais um argumento para a minha proposta.
A colaboração, mesmo entre aqueles que se presume serem adversários, tem os seus méritos. Uma lição que ensinarei através da vingança.

CIBBER: Mas a vingança em palco deve também entreter, através de um enredo de valor.

VANBRUGH: O enredo já existe... na vida real.

CIBBER: Uma peça de vingança baseada na vida real? Toma atenção, John! Já quase vejo o esgar de desprezo dos críticos. *(Pausa.)* E o tema da tua peça é o escândalo?

VANBRUGH: É a corrupção entre os poderosos...

CIBBER: Dificilmente um tema novo. Olha as histórias de Shakespeare.

VANBRUGH: Meu caro Colley! Refiro-me aos poderosos da mente... não do reino.

CIBBER: Os seus protagonistas ainda são vivos?

VANBRUGH: Todos eles!

CIBBER: Ah! Isso implica cuidado assim como subtileza.

VANBRUGH: A subtileza leva tempo... uma comodidade preciosa... especialmente na minha

idade. Tenho sessenta e um, Colley! Muitos já
me consideram velho.

CIBBER: Disparate, John. *(Sorriso largo.)*
Embora tenha de admitir que fiquei surpreso...
algum tempo atrás... ao saber que tinhas decidi-
do subitamente... na tua maturidade... explorar
a bênção do matrimónio...

VANBRUGH: Que idade tinhas quando sucum-
biste a essa tentação?

CIBBER: Promete que não contas. *(Simula um
suspiro.)* Ainda não tinha vinte e dois!

VANBRUGH: *(Chocado.)* Que imprudência!

CIBBER: Foi um acto de amor... mas também
de loucura, tendo em consideração que os meus
rendimentos mal chegavam para um.

VANBRUGH: Talvez eu seja mais cauteloso.
Tinha cinquenta e cinco quando me propus à
Henrietta.

CIBBER: Lady Henrietta é uma mulher formosa... *(pausa)* e jovem...

VANBRUGH: Em forma assim como em figura. *(Pausa.)* No entanto não tão nova como a tua.

CIBBER: Uma decisão acertada da tua parte.

VANBRUGH: Em que sentido?

CIBBER: A minha Catherine estava sobrecarregada de fertilidade. Por cada filho que carregava eu tinha de escrever uma peça para o sustentar.

VANBRUGH: Santo Deus! Não escreveste pelo menos uma dúzia de peças?

CIBBER: Vinte cinco... para ser preciso...

VANBRUGH: *(Surpreendido.)* Ela deu-te vinte e cinco filhos?

CIBBER: *(Rindo.)* Apenas onze... mas numa sucessão tão rápida que decidi pela... retirada.

(Pausa.) Mas chega de falar de mim... e das minhas peças. Encontramo-nos aqui para falar das tuas. *(Pausa.)* Se me permites, John, uma questão delicada: essa peça escandalosa ostentará o teu nome? *(Pausa.)* És um dramaturgo aclamado... as pessoas reconhecerão a tua voz.

VANBRUGH: Sem dúvida que sim! Mas esconderei a minha voz misturando-a com a tua.

CIBBER: Ah... Quando queres começar?

VANBRUGH: Agora. *(Apresenta um guião.)*

CIBBER: Neste momento?

VANBRUGH: Já tenho a tua atenção... por que não aproveitá-la?

CIBBER: Um seu servo, Sir John. *(Cibber tira-lhe o guião e começa a ler.)* "Cálculo"? *(Erguendo o sobrolho.)*

VANBRUGH: *(Rapidamente.)* Uma comédia!

CIBBER: Óptimo... mesmo que não se venha a revelar verdade. *(Pausa breve.)* "De Sir John Vanbrugh"?

| *(Um momento de embaraço entre eles.)*

VANBRUGH: É claro que isso pode ser alterado...

CIBBER: Fico aliviado.

(Cibber folheia as páginas.)

Ah! "Sir Isaac Newton"? Bem!

VANBRUGH: Continua a ler.

(Cibber continua a ler. À medida que lê, a murmurar pedaços das cenas iniciais para si próprio, começa a mostrar-se impaciente. Leu na diagonal algumas páginas, à procura de algo. Suspira.)

VANBRUGH: E?

CIBBER: É promissora, até aqui.

VANBRUGH: Consigo ouvir um "mas" aí escondido.

CIBBER: Mas... depreendo que é o revelar de um escândalo que envolve Sir Isaac Newton.

VANBRUGH: De facto.

CIBBER: Então... onde está Sir Isaac? Onde está o protagonista? Desejo vê-lo! Não os anões que o rodeiam como traças atraídas por uma vela...

VANBRUGH: Que se queimam todas! Precisamente o que pretendo mostrar. Temos onze anões manchados por este escândalo, e todos eles membros da Royal Society...

CIBBER: John, não podes ter todos os onze na peça. A despesa!

VANBRUGH: Pensei nisso. Não usarei mais que três principais, e os restantes serão supranumerários.

CIBBER: John! Espero que não leves isto a mal, mas se o escândalo trata da disputa entre Newton e esse tipo alemão... como é o nome dele?... Leibniz... eles têm que aparecer na peça. Não podes delegar o assunto em substitutos! Sem Newton não há peça. No mínimo dos mínimos insere uma cena para ele, antes de avançar mais.

VANBRUGH: À espera que dissesses isso, vim preparado.

(Tira uma cena do bolso.)

CIBBER: O que é isto?

VANBRUGH: Uma cena entre Newton e Leibniz.

(Cibber lê um pedaço.)

CIBBER: Excelente! Vamos lê-la agora, juntos. Eu faço o alemão e tu Newton.

VANBRUGH: Não, não, não. Não era capaz...

CIBBER: Oh anda lá, tenta... peço-te.

VANBRUGH: Muito bem, se insistes.

(Cibber segura o texto da peça nas mãos e finge ler as deixas de Leibniz. Cibber usa um sotaque alemão quando representa o papel de Leibniz. Vanbrugh faz de Newton e já sabe as suas deixas, uma vez que foi ele que as escreveu.)

LEIBNIZ: Finalmente nos encontramos, Sr. Newton. *(Como Cibber.)* John, esta frase de abertura precisa de ser trabalhada. Bem, continua.

NEWTON: Não há nada que mais deseje evitar, em assuntos de Filosofia, do que a contenda, nem, no que toca a contendas, do que uma por escrito.

LEIBNIZ: No entanto a vossa acusação de plágio <u>foi</u> feita por escrito!

NEWTON: Não escrevi tal acusação.

LEIBNIZ: *(Sarcasticamente.)* Corrijo: fizestes com que um dos vossos lambe-botas a fizesse.

NEWTON: Um distinto membro da Royal Society...

LEIBNIZ: Distinto? Bah! Ao tornar-se vosso lambe-botas perde toda a distinção.

NEWTON: Como vos atreveis?

LEIBNIZ: Como vos atreveis <u>vós</u>? Fabricastes a suspeita de eu ter ganho fama através de práticas fraudulentas. Não há pessoa sensata ou sensível que ache correcto que eu, na minha idade, e com tamanho testemunho de vida, deva aparecer como um litigante ante um tribunal. *(Progressivamente mais alto.)* Eu, Gottfried Wilhelm Leibniz, cuja invenção contém a aplicação de toda a razão... uma decisão em cada controvérsia... uma análise de todas as noções... uma avaliação da probabilidade... uma bússola para navegar no oceano das nossas experiências... um inventário de todas as coisas... uma tabela de todos os pensamentos... uma possibilidade geral de calcular qualquer coisa. *(Respira profundamente e de forma audível, depois, como Cibber.)* John, isto é demasiado obscuro...

VANBRUGH: Todos os filósofos alemães são obscuros. E alguns também obtusos.

CIBBER: Mesmo assim, o público, os críticos, John! Talvez uma reescrita?

VANBRUGH: Continua, por favor!

CIBBER: Muito bem. *(Ele continua como Leibniz.)* Quando publiquei os elementos do meu Cálculo em 1684, desconhecia, garantidamente, as vossas descobertas nesta área, para além do que me havíeis indicado anteriormente por carta. Mas mal vi o vosso *PRINCIPIA*, percebi que tínheis ido muito mais além. Contudo, não sabia, até recentemente, que praticáveis um Cálculo tão semelhante ao meu Cálculo Diferencial. Naturalmente escolhestes outro nome *(sibila, com ênfase no 's' final):* "fluxões".

NEWTON: *(À parte, suspiro furioso.)* Aquela víbora no meu cérebro... aquele Leibniz... não lhe bastando ridicularizar a minha invenção das fluxões, apresenta-se agora ao mundo como sendo o inventor do *(sibila)* "Cálculo"! *(Mais alto, com calma fingida.)* Não tive responsabilidades no iniciar desta controvérsia.

LEIBNIZ: Ha!

NEWTON: Sr. Leibniz! Numa carta trocada entre mim e vós há dez anos, indiquei que possuía um método para determinar máximos e mínimos...

LEIBNIZ: E então?

NEWTON: Nessa mesma carta também escrevi o método.

LEIBNIZ: A vossa memória está enganada, Sir Isaac.

NEWTON: Não, eu escrevi o método. E, ao mesmo tempo, ocultei-o.

LEIBNIZ: Escrevestes... e, no entanto, ocultastes? Como?

NEWTON: Em letras transpostas, que, quando correctamente agrupadas, expressam esta frase *(tom forte e vigoroso)*: "Dada qualquer equação envolvendo quantidades fluentes, para encontrar as fluxões, e vice-versa."

LEIBNIZ *(Sardónico)*: Ha... ha! "Dada qualquer equação envolvendo quantidades fluentes, para encontrar as fluxões, e vice-versa." *(Extremamente rápido e sarcástico.)* Doze A's, três C's (um com cedilha), cinco D's, doze E's, dois F's, um I, quatro L's, seis N's, cinco O's, um P, quatro Q's, cinco R's, cinco S's, três T's, seis U's, quatro V's, e finalmente um X... Se todo o conhecimento fosse transmitido em 80 letras transpostas, onde estariam agora os matemáticos ou a Filosofia Natural? Serão os anagramas honestos em ciência? Ou serão apenas uma brincadeira? *(Pausa.)* Como não encontro qualquer H, como em "honestidade" ou "humor", nem um B como em "brincadeira", no vosso alfabeto anagramático, nem a honestidade nem o humor podem ter sido a motivação. *(Riso sardónico.)* De facto, como não há letra M, até a Matemática está excluída!

NEWTON: Como vos atreveis?

LEIBNIZ: Acaso não escrevestes, em 1676: "O método de Leibniz para obter séries convergentes é de facto extremamente elegante, e seria o suficiente para mostrar o génio de quem o escreveu mesmo que esse não escrevesse mais nada". *(Pausa.)* Então, Sr. Newton?

NEWTON: Um dos meus maiores erros de julgamento.

LEIBNIZ: Sr. Newton, acusais-me de invadir território inglês? De roubar?

NEWTON: Chamai-lhe o que quiserdes! Fui o primeiro a morder esta maçã... e espero comê-la a meu prazer.

LEIBNIZ: Uma maçã já mordida,
especialmente uma inglesa, não me atrai.
Necessito recordar-vos que, quando finalmente
decidistes publicar o vosso "Método das
Fluxões", anos após eu ter publicado, poucas
pessoas o relacionaram com o meu "Cálculo
Infinitesimal"? A vossa terminologia era
um calão de pontos e linhas à deriva, os
vossos "fluentes". E à sua taxa de variação...
chamastes "fluxões". O vosso somar ou subtrair
de pontos sobre as letras para representar *(de
forma ridícula)* "fluxões de fluxões ou fluentes
de fluentes" é a mais trapalhona das notações
trapalhonas. *(Vigorosamente.)* A minha era
algébrica; a minha linguagem fresca e límpida
usando as palavras "diferencial", "integral",
e "função". Estas não encontro eu nos vossos
escritos!

NEWTON: A minha questão é quem descobriu
primeiro o método. A prioridade é exclusiva. É
um facto absoluto, quantificável.

LEIBNIZ: Quantificável?

NEWTON: Apenas um homem é o primeiro!
Seja por anos, semanas, horas ou até minutos.

LEIBNIZ: *(Sarcástico.)* Isso não é levar a Matemática longe de mais?

*(Cibber sai da cena, observa o último
discurso de Newton.)*

NEWTON: Ides arrepender-vos amargamente
do dia em que lançastes este desafio, Sr. Leibniz! A questão <u>não é</u> se descobristes o Método
das Fluxões... *(desdenhoso)* o vosso Cálculo...
por vós próprio. Nomearei um Comité da Royal
Society para deliberar apenas sobre a questão de
quem foi o <u>primeiro</u> inventor. E assegurar-me-ei
de que eles não se desviam desse estreito
caminho! *(Pausa.)* O comité tratará Leibniz
como segundo inventor, porque *(lento e alto)*
<u>segundos inventores não têm direitos</u>! Nenhum!
*(Vira-se abruptamente e caminha em direcção
a Cibber.)*

(Vanbrugh sai da personagem.)

CIBBER: És um actor nato!

VANBRUGH: Obrigado.

CIBBER: Por Deus, porque foi esta cena tirada da peça?

VANBRUGH: Bem, estou com dúvidas.

CIBBER: Não. Temos de usá-la!

VANBRUGH: Veremos.

CIBBER: Mas que raio tem ela de mal? *(Pausa.)* Talvez estejas com medo?

VANBRUGH: De Sir Isaac? Não. Nem se trata de excesso de respeito pelo homem.

CIBBER: Então o que é?

VANBRUGH: É que o verdadeiro escândalo aconteceu nos bastidores.

CIBBER: Hum. Está bem. É o que dizes. Mas deixa-me ver como o dizes aqui. *(Agita o guião que tem nas mãos.)*

(Continua a ler o guião À MEDIDA QUE AS LUZES BAIXAM.)

FIM DA CENA 1

CENA 2

*Cibber (lendo as indicações de cena): "Lon-
dres, 1712... é, portanto, há treze anos...
uma sala de visitas em casa do Dr. John
Arbuthnot. Entra a Criada. A Sra. Arbuthnot
está sentada numa cadeira; ao lado dela um
serviço de chá numa mesa."*

CRIADA: Senhora... O Sr. Bonet chegou.

SRA. ARBUTHNOT: *(Alto.)* Manda-o entrar.

BONET: Dr. Arbu... *(apercebe-se)...* Ah!

SRA. ARBUTHNOT: *(Enquanto se ergue da
cadeira para o cumprimentar.)* Sr. Bonet.

BONET: Sra. Arbuthnot, um seu servo.

SRA. ARBUTHNOT: É um prazer conhecer-vos.
Ambos frequentamos o salão de Lady
Brasenose...

BONET: No entanto nunca tivemos oportunidade de nos encontrar.

| *(Ele beija-lhe a mão.)*

SRA. ARBUTHNOT: Por favor, sentai-vos.

| *(Ela senta-se enquanto Bonet permanece*
| *de pé.)*

BONET: *(Alto, com sotaque francês.)* Sois
muito amável em receber-me com tão breve
antecedência.

SRA. ARBUTHNOT: De modo algum. É um
grande prazer. *(Uma pausa educada.)* Não vos
sentais?

BONET: Muito agradecido, mas... com o maior
dos respeitos... tenho assuntos urgentes a tratar
esta manhã... uma breve conversa com o vosso
esposo...

SRA. ARBUTHNOT: Peço desculpa por ele, mas
ele não está disponível. Espero ser capaz de vos
receber na sua ausência.

BONET: *(Desapontado.)* Sois muito amável. *(Pausa.)* Quando é que voltará?

SRA. ARBUTHNOT: Voltará? *(Pausa.)* Ele está lá em cima... indisposto.

BONET: Ah. *(Pausa.)* Espero que recupere rapidamente.

SRA. ARBUTHNOT: O meu marido está lá em cima... no seu escritório... indisposto não de má disposição, mas de mau humor.

BONET: *(Tom ressentido.)* Ah sim? Devo depreender então que ele não deseja falar-me?

SRA. ARBUTHNOT: O Dr. Arbuthnot recusa falar com qualquer membro do Comité...

BONET: Ah.

SRA. ARBUTHNOT: ...com o argumento de que poderá prejudicar qualquer decisão tomada pelo Comité...

BONET: Ah?

SRA. ARBUTHNOT: Logo nem me atrevo a
dizer-lhe que vos encontrais aqui.

BONET: Compreendo. Presumo que ele não vos
tenha contado nada sobre as preocupações do
Comité.

SRA. ARBUTHNOT: Nada sobre as preocupações.

BONET: Talvez seja melhor que eu me retire.

SRA. ARBUTHNOT: Espero que o seu comportamento não vos tenha ofendido. O Dr. Arbuthnot coloca os seus princípios acima de tudo o
resto, incluindo as maneiras, receio dizê-lo.

BONET: Não são necessárias desculpas. Se
pareço desapontado é por que tinha esperança...
bem, não interessa. Bom dia, Sra. Arbuthnot.

SRA. ARBUTHNOT: Talvez eu seja capaz de
afastar algumas das vossas preocupações.

BONET: Receio que não. O Comité foi convocado para decidir sobre um assunto muito delicado...

SRA. ARBUTHNOT: Delicadeza é uma noção subjectiva... O que é delicado para uns pode ser enfadonho para outros, como o meu marido costuma dizer. Mas uma vez que ele não é apenas um médico e um sábio, mas também um escritor das fraquezas humanas, levo sempre a peito tais comentários.

BONET: Uma decisão acertada... aceitar a perspicácia do vosso esposo.

SRA. ARBUTHNOT: Eu disse que as "levo a peito", Sr. Bonet. Não disse que os aceitava sempre. Mas chamastes "delicado" ao propósito do vosso Comité...

BONET: *(Assertivo.)* Considero-o extremamente delicado.

SRA. ARBUTHNOT: Não vos contradirei.

BONET: *(Parece que Bonet está prestes a sair. Apercebe-se então de algo.)* Estais certa que o vosso esposo não vos mencionou nada a propósito do memorando do Comité? Um assunto nem sequer revelado a todos os membros da Royal Society?

SRA. ARBUTHNOT: Do memorando do Comité? Sim, isso ele fez. *(Pausa.)* Mas falastes de preocupações... não de um memorando.

BONET: Espero que não leveis a mal esta questão: mas por que razão o vosso esposo discutiria convosco tarefas delicadas *(cai em si)*... ou, se preferirdes... confidenciais do nosso Comité?

SRA. ARBUTHNOT: Porque sou sua mulher!

BONET: Sim... mas...

SRA. ARBUTHNOT: Não entrais em confidência com a vossa esposa?

BONET: Não tenho esposa... ainda.

SRA. ARBUTHNOT: Mas se tivésseis?

BONET: Não falaria de semelhantes assuntos.

SRA. ARBUTHNOT: No entanto com o meu marido, quase um estranho, estais disposto a discutir questões que esconderíeis da vossa esposa? Porquê? Porque confiais no meu marido?

BONET: Não tenho razões para não confiar nele.

SRA. ARBUTHNOT: No entanto desconfiaríeis de uma esposa? *(Pausa.)* Uma vez que ainda não tendes uma, aconselhar-vos-ia a escolher prudentemente... como fez o meu marido. *(Pausa.)* Mas estou a deixar-me levar. Deveria ter-vos oferecido um refresco... quereis tomar um chá?

BONET: Preferiria continuar a nossa conversa... embora talvez numa direcção ligeiramente diferente.

SRA. ARBUTHNOT: Com todo o prazer.

BONET: Posso colocar uma questão que tinha destinada apenas aos ouvidos do vosso esposo?

SRA. ARBUTHNOT: Bem, sim... se considerais apropriado.

BONET: Sabeis se os membros do Comité estão todos bem informados acerca do propósito deste?

SRA. ARBUTHNOT: Creio... com conhecimento de causa... que não é esse o caso. Mas vós, Sr. Bonet, um diplomata? Seguramente estareis informado.

BONET: Os diplomatas desejam sempre mais informação do que a fornecida.

SRA. ARBUTHNOT: Suspeito não violar qualquer confidência ao dizer que o assunto em questão envolve apenas Sir Isaac Newton... ou melhor, o seu trabalho sobre fluxões.

BONET: Referis-vos à acusação contra o Sr. Leibniz?

SRA. ARBUTHNOT: Certamente. Mas há aí algo mais do que apenas a prioridade. Pensai naquela matemática bastante complicada... fluxões e cálculo... é o que está em jogo aqui... e especialmente a questão de quem inventou o quê primeiro. No entanto quase metade dos membros do Comité nem sequer são matemáticos: Abraham Hill... William Burnet... o Conde de Radnor... Francis Aston... *(pausa)* e vós, o ministro do rei da Prússia em Londres.

BONET: Então e o vosso esposo? Ele é o médico da rainha Anne...

SRA. ARBUTHNOT: O melhor que ela alguma vez teve.

BONET: Ele é proeminente nos círculos literários...

SRA. ARBUTHNOT: E está presentemente a colaborar com John Gay e Alexander Pope numa peça...

BONET: Isso não sabia.

SRA. ARBUTHNOT: Chama-se *Três Horas após o Casamento*[2].

BONET: Um título ambíguo.

SRA. ARBUTHNOT: Dependendo do ponto de vista. Pretende ser uma comédia.

BONET: *(Espantado.)* Médico e homem de letras eu consigo entender. Mas escritor de comédias?

SRA. ARBUTHNOT: <u>Uma</u> comédia... e *(à parte)* a sua última, espero.

BONET: E é a Matemática outro dos seus talentos?

SRA. ARBUTHNOT: Sem dúvida. Veja o seu ensaio *Sobre a Utilidade da Aprendizagem da Matemática*.

---

[2] *Three Hours After Marriage*

BONET: Estou a ver. *(Pausa.)* Mas agora a minha questão: recebeu ele até ao momento as provas que nos é pedido avaliar... as provas por trás da acusação? Contra o Sr. Leibniz? Eu não recebi nada.

SRA. ARBUTHNOT: Não estais sozinho, Sr. Bonet.

BONET: Mas há excepções?

SRA. ARBUTHNOT: Talvez. *(Recua rapidamente.)* Mas isto é apenas intuição... a intuição de uma mulher e, portanto, de pouco valor.

BONET: Naturalmente não perguntarei acerca do vosso esposo, mas poderíeis aventurar uma hipótese?

SRA. ARBUTHNOT: O Sr. Moivre pode ser uma...

BONET: *(Irado.)* Que foi nomeado por último!
SRA. ARBUTHNOT: O momento da nomeação pode não estar relacionado com a posição na hierarquia do Comité.

BONET: Não consigo compreender...

SRA. ARBUTHNOT: *(Interrompe.)* Suspeito que a compreensão se tornará clara amanhã, quando o vosso Comité procurar a luz... uma actividade em que o Sir Isaac é proeminente. Mas as vossas deliberações concentrar-se-ão na luz do Sol reflectida pela Lua. Pergunto-me quantos de vós se aperceberão da falta de calor.

BONET: Receio não vos perceber, senhora.

SRA. ARBUTHNOT: Acabareis por fazê-lo, Sr. Bonet. Mas agora, temo que vos tenhais de retirar antes que o meu esposo desça.

BONET: Muito sensato. Estou em dívida para convosco, Sra. Arbuthnot.

SRA. ARBUTHNOT: Nesse caso fico satisfeita, Sr. Bonet.

FIM DA CENA 2

CENA 3

Vanbrugh lê as indicações de cena: "Londres, 1712 – como antes. Uma antecâmara da Royal Society. Comida posta numa mesa. O Sr. Moivre encontra-se com o Sr. Bonet. Em contraste com o Sr. Bonet, o Sr. Moivre está vestido com roupas muito usadas."

MOIVRE: Senhor Bonet, um seu servo.

BONET: Senhor Moivre, um bom dia para vós.

MOIVRE: *(Cautelosamente olhando à volta.)* Parece que estamos entre os primeiros a chegar.

BONET: Chegámos cedo.

MOIVRE: *(Desloca-se para junto da mesa, apontando para a comida.)* Não comi o dia todo. A minha ocupação... sabeis... quase não me dá oportunidade.

BONET: *(Relutantemente.)* Ninguém vos verá.

(MOIVRE começa a devorar comida.)

Senhor Moivre... sabeis o motivo desta reunião?

MOIVRE: *(Rapidamente dá mais uma dentada e depois, sub-repticiamente, põe alguma comida, talvez um pão, no bolso.)* O primeiro encontro do Comité completo.

BONET: Certamente, e no entanto... posso colocar-vos uma questão sincera?

MOIVRE: Terei todo o prazer em ser útil ao ministro do rei da Prússia...

BONET: Porque fui eu escolhido... cerca de três semanas após o Arbuthnot e os outros?

MOIVRE: Mas não <u>todos</u> os outros! O Taylor, o Aston e eu fomos convidados apenas há dois dias.

BONET: E porquê onze membros?

MOIVRE: Talvez prevendo um Judas entre os apóstolos de Newton? *(Rápido.)* Claro que estou apenas a brincar. *(Pausa.)* Mas porquê perguntar-me a mim?

BONET: Já sois membro há alguns anos...

MOIVRE: Quinze... para ser preciso.

BONET: A precisão adequa-se a um matemático... que eu não sou. No entanto o encargo do Comité está relacionado com matemática... então porquê nomear-me a mim, que sou muito deficiente neste campo? E quem o fez? Apenas recebi uma carta do secretário sem especificar a razão.

MOIVRE: *(Com rodeios.)* As razões tornar-se-ão claras brevemente, sem dúvida. Se tivesse sido apenas pela minha competência matemática... que reivindico abertamente... eu teria estado entre o primeiro grupo... juntamente com o Edmond Halley, um dos maiores apoiantes de Sir Isaac...

BONET: Não o conheço.

MOIVRE: Há sete anos observou um cometa no céu e previu o seu regresso.

BONET: E estava correcto?

MOIVRE: Infelizmente, teremos de esperar sessenta e oito anos para o descobrir... Ou William Jones, que inteligentemente introduziu o símbolo ∏... *(Pausa.)* No entanto, eu... embora matemático... estive entre os últimos dos últimos... mesmo depois de vós.

BONET: Poderíeis dar uma definição simples para fluxões? Não queria ter de admitir a minha ignorância quando o Comité reunir.

MOIVRE: Fluxões são simplesmente as velocidades de incrementos evanescentes... de infinitesimais, de modo que, se uma quantidade é incrementada ou decrescida de um infinitesimal, então essa quantidade nem é incrementada nem decrescida.

BONET: Quer dizer, zero?

MOIVRE: Maior que isso... no entanto menor que qualquer outro número. Assim é suficientemente simples? *(Nota que Bonet ainda está com dúvidas.)* Então tentemos assim. O que Sir Isaac chamou de Método de Fluxoes, Leibniz nomeou de Cálculo... um método *(clara e lentamente)* que relacionou finalmente o tempo com o espaço.

BONET: *(Com uma expressão dúbia.)* Obrigado.

(Moivre percebe que Bonet não compreende.)

MOIVRE: É um método que determina, em qualquer momento, a taxa de variação de uma quantidade que ela própria está a variar relativamente a... oh, muito bem. Deixai-me demonstrar... com uma maçã. *(Pega numa maçã.)* Não a vou deixar cair... vou comê-la enquanto <u>vós</u> contais o tempo que demora... em segundos.

(Começa a comer. Bonet conta para dentro. Subitamente Moivre pára. Faz uma pausa. Começa de novo a comer. Come mais rápido.

Pára outra vez. Palita os dentes por um se-
gundo. Começa outra vez. Pára outra vez.)

MOIVRE: *(Coloquial.)* O tempo tem estado algo
inclemente. Bastante inglês, diria eu.

(Volta a comer. Abranda. Depois acelera... e
termina a maçã, sementes, caroço e tudo.)

MOIVRE: Parai! Quanto tempo levou?

BONET: Não tenho a certeza... um minuto,
digamos.

MOIVRE: Muito bem, um minuto. Agora: aos
trinta segundos com que velocidade estava eu a
comer?

BONET: Com que velocidade? É impossível dizer.

MOIVRE: Porquê?

BONET: Bom, em primeiro lugar a vossa velocidade não era constante.

MOIVRE: Muito bem... prestastes atenção.
Mas agora, *(ocasionalmente fala mais rápido,
mesmo a roçar a ininteligibilidade)* escolhei um
intervalo de tempo... digamos, entre quinze e
quarenta e cinco segundos. Estimai em gramas
a quantidade de maçã que comi nesse intervalo.
Dividi essa quantidade pelo tempo, nomeada-
mente meio minuto, e obtendes uma velocidade
média em gramas por minuto. Notai! Gramas
por minuto! Agora... *(Volta à voz e velocidade
normais.)* Achais que poderemos melhorar esta
aproximação?

BONET: *(Finge reflectir.)* Escolhendo um intervalo de tempo mais curto?

MOIVRE: Excelente! *(Fala, de novo, muito
rápido, roçando a ininteligibilidade.)* Tomai
então o intervalo entre os vinte e cinco e
os trinta e cinco segundos. Determinai a
velocidade média neste período. Ou, se fordes
capaz, determinai a velocidade em gramas
por minuto entre os vinte e nove segundos
e os trinta e um segundos. Quanto menor

o incremento, melhor o resultado. Logo, a nossa velocidade num dado momento é o "limite", como lhe chamamos, das nossas velocidades médias ao longo de intervalos de tempo cada vez mais pequenos contendo esse momento. *(Volta à voz e velocidade normais.)* Acompanhais-me?

BONET: Julgo que sim.

MOIVRE: *(Aliviado.)* Nesse caso felicito-vos. Dominastes aquilo a que Leibniz chamou Cálculo Diferencial.

BONET: Quereis dizer que há outro tipo?

MOIVRE: Cálculo Integral.

BONET: *(Reflecte, depois tentativo.)* O inverso?

MOIVRE: Ainda faremos de vós um matemático! Vou demonstrar, mais uma vez!

| *(Pega noutra maçã. Morde-a. Magoa a boca.)*

MOIVRE: Ai... ai...

BONET: Essa é de cera. *(Pausa.)* Creio que tendes outra no bolso...

MOIVRE: *(Embaraçado.)* Estou a guardá-la para mais tarde. Mas basta de experiências.

(Põe a fruta de cera no seu lugar.)

BONET: Muito bem. Mas, e se eu vos der isto...

(Bonet aponta para uma fruta grande tipo uma melancia. Moivre recusa-a.)

MOIVRE: A vossa contribuição para a deliberação do Comité não dependerá de compreenderdes ou não mais detalhes. Uma lição rápida é insuficiente. Contudo o cálculo da probabilidade chamou a minha atenção há já alguns anos. No início para estudar as probabilidades no jogo, mas depois para avaliar a probabilidade da própria vida... para calcular anuidades e outros haveres similares... até mesmo a data da minha morte.

BONET: Da vossa morte?

MOIVRE: Agora, com quarenta e cinco anos, tenho uma necessidade crescente de dormir... incrementos muito pequenos cada noite. Passarei para o sono eterno quando o total atingir 24 horas... o que, calculo, ocorrerá aos 87 anos.

BONET: Mas a vossa esposa poderá manter-vos acordado, de tempos a tempos, arruinando assim a vossa progressão aritmética... e ao mesmo tempo prolongando a vossa vida.

MOIVRE: Não sou casado.

BONET: A vossa futura esposa, então.

MOIVRE: *(Interrompe, quase zangado.)* Não tenho meios para suportar uma mulher.

BONET: Os números são a vossa vida?

MOIVRE: Há a literatura. Sei muitas obras de cor... Rabelais... Molière. Poderia recitar-vos integralmente *Le Misanthrope*...

(Começa a recitar pomposamente algumas linhas em francês de 'Le Misanthrope'.)

Tous les pauvres mortels, sans nulle exception,
Seront enveloppés dans cette aversion?
Encor, en est-il bien, dans le siècle où nous
sommes...[3]

BONET: *(Apressadamente.)* Ça suffit! Noutra altura. Mas de volta ao assunto em questão: a que circunstâncias devo a minha selecção para o Comité?

MOIVRE: Não ficaríeis contente em ouvir a minha explicação.

BONET: Mesmo assim... posso ouvi-la?

---

[3] Molière *Le Misanthrope*, Acto I, Cena I

MOIVRE: Eles pretendem um estrangeiro, que não compreenda o assunto.

BONET: Mas vós... que compreendeis o assunto... também sois estrangeiro.

MOIVRE: Estais ressentido por terdes sido escolhido apenas pelas vossas credenciais de estrangeiro e ignorante em matemática?

BONET: *(Ri.)* Não medis as vossas palavras! Mas a franqueza merece uma resposta franca. Em circunstâncias normais, teria tomado isso como um insulto.

MOIVRE: E o que mudou, desta vez?

BONET: Os diplomatas ajustam frequentemente as suas agendas às circunstâncias com que se deparam.

MOIVRE: *(Vê Arbuthnot aproximar-se.)* Ah... lá vem...

(Moivre esconde rapidamente mais uma peça de comida no bolso.)

ARBUTHNOT: Sr. Moivre, um seu servo.

MOIVRE: Senhor Bonet, permiti que vos apresente o Dr. Arbuthnot.

BONET: Ah... Dr. Arbuthnot... a vossa encantadora esposa... *(Cala-se.)*

ARBUTHNOT: A minha esposa? Conheceis a minha esposa?

BONET: Ah, não, as minhas desculpas. Um caso de confusão de identidades.

ARBUTHNOT: Senhor Bonet, se falastes com a minha esposa seria melhor para vós se o dissésseis.

BONET: Dr. Arbuthnot... foi erro meu, asseguro-vos.

ARBUTHNOT: *(Decidindo deixar passar de momento o assunto.)* Bem, uma vez que a minha esposa nada tem a ver com o assunto em questão, deixaremos isso de lado.

| *(Bonet faz uma vénia. Entra Lady Brasenose.)*

ARBUTHNOT: *(Sobressaltado.)* Lady Brasenose!

LADY BRASENOSE: Cavalheiros.

ARBUTHNOT: Com o maior dos respeitos, isto é a Royal Society.

LADY BRASENOSE: E pouco conhecida por receber bem as mulheres. Mas isto não é o seu santuário interior. É apenas uma antecâmara.

ARBUTHNOT: Mesmo assim, como vos foi permitido entrar?

LADY BRASENOSE: Sou uma senhora de alguma reputação, Dr. Arbuthnot.

BONET: Minha senhora, estamos todos cientes disso. *(Beija-lhe a mão.)*

LADY BRASENOSE: Não peço permissão para entrar numa antecâmara.

BONET: Permitis que vos pergunte por que estais aqui?

LADY BRASENOSE: Poderia perguntar-vos o mesmo. Vós, Sr. Bonet, sois um diplomata. Fluente em palavras mas dificilmente em fluxões. *(Volta-se para Arbuthnot).* E vós, meu bom Doutor? Poderíeis ter invocado inquietação com um paciente.

ARBUTHNOT: Porque faria eu isso, Lady Brasenose? Sou um membro da Royal Society e, enquanto tal, é meu dever deliberar sobre matérias de interesse para a Society.

LADY BRASENOSE: *(Irónica.)* E para o seu presidente?

ARBUTHNOT: *(Zangado.)* E para o seu presidente!

LADY BRASENOSE: *(Vira-se abruptamente para Moivre.)* E vós, Sr. Moivre? *(Oferece a mão e ele beija-a.)* Sois um matemático dotado... dizem-me... mas não fostes nomeado para o Comité apenas há dois dias? Porque esperou ele tanto?

MOIVRE: <u>Ele</u>?

LADY BRASENOSE: *(Irónica.)* Preferíeis que dissesse "<u>eles</u>"? Muito bem, far-vos-ei a vontade. *(Observa-o.)* Porque o fizeram eles?

MOIVRE: Porque se lhes tornou evidente que necessitavam de alguns estrangeiros!

LADY BRASENOSE: Sem dúvida a mesma razão pela qual o meu amigo diplomata *(aponta para Bonet)* foi escolhido... a menos que *(sorri de forma coquete)* ele esconda de mim uma competência em matemática da qual não estava ciente até agora...

BONET: Poucas coisas escapam a Lady Brasenose.

LADY BRASENOSE: Até ao momento é verdade... e espero que assim seja ainda por muitos anos. Porquê então, Sr. Moivre? Há outros membros que são matemáticos distintos e ainda por cima estrangeiros. Ou não serão eles suficientemente estrangeiros?

MOIVRE: Em Inglaterra, não ser inglês já é ser demasiado estrangeiro.

LADY BRASENOSE: Touché. Mas porque é que fostes nomeado?

MOIVRE: *(Vexado.)* Já disse a Vossa Senhoria...

LADY BRASENOSE: Porque sois matemático, membro... e considerado não inglês? Nenhuma dessas razões o... *(finge corrigir-se)...* peço desculpa... queria dizer os... levaria a nomear-vos há apenas dois dias! Mesmo à justa para um encontro do vosso comité... a <u>primeira</u>... e, provavelmente, também a <u>última</u> reunião!

ARBUTHNOT: *(Irritado.)* Vejo agora, Lady Brasenose, que acrescentastes a adivinhação às vossas outras capacidades.

BONET: Hoje em dia as novidades parecem chegar-vos, minha senhora, mesmo antes de acontecerem.

LADY BRASENOSE: Pareceis esquecer-vos que agora viveis em Inglaterra – uma congregação de espiões voluntários.
(Volta-se para Arbuthnot.)
E vós, porque aceitastes?

ARBUTHNOT: Perdoai, Vossa Senhoria. Isto não é assunto para uma mulher.

LADY BRASENOSE: Duvido que a vossa esposa concordasse convosco, Dr. Arbuthnot. Tenho a certeza que ela ontem teve muito que dizer ao Sr. Bonet.

ARBUTHNOT: Então sempre estivestes com ela!

BONET: As minhas desculpas, Sir.

ARBUTHNOT: Basta. O que estais aqui a fazer?

LADY BRASENOSE: Temo que Newton esteja a fazer-vos a cama e se encontre prestes a soprar a vela para pôr o vosso comité a dormir.

MOIVRE: Não, isso é inconcebível!

ARBUTHNOT: Impensável!

BONET: Qual é, então, o vosso objectivo?

LADY BRASENOSE: Manter a vela acesa.

ARBUTHNOT: O Comité está prestes a reunir com o presidente. Lady Brasenose, deveis sair o quanto antes.

LADY BRASENOSE: Muito bem. Sairei porque já disse aquilo que vim dizer. *(Oferece-lhe a*

mão, que ele beija algo rigidamente.) Só espero que o tenhais ouvido. Bom dia, cavalheiros.
E lembrai-vos que sois sempre bem vindos
no meu salão, onde serei sempre o cúmulo da
discrição.

| *(Ela sai furtivamente.)*

ARBUTHNOT: Cavalheiros, exorto-vos a não
mencionar a ninguém esta infeliz interrupção de
Lady Brasenose.

MOIVRE: Certamente.

BONET: Compreendido.

ARBUTHNOT: Nem a dar qualquer crédito
às suas palavras. Caso contrário as próprias
fundações desta questão podem estar
irreparavelmente prejudicadas.

MOIVRE: Sem dúvida.

BONET: Naturalmente.

ARBUTHNOT: Óptimo, estamos então de acordo. *(Uma campainha toca no exterior da antecâmara para o Comité reunir.)* E agora, cavalheiros, chegou a hora. Vamos entrar?

(Eles entram na sala.)

(Uma vez lá dentro, tomam lugar à volta da longa mesa onde outros membros do Comité já estão sentados. Todos estão num silêncio expectante.)

(A porta ao fundo abre-se lentamente e revela uma figura sombria: Newton. Não diz nada. Traz cópias do relatório para todos os membros. As cópias são passadas ao longo da mesa.)

(Quanto todos têm cópias, Newton mantém-se de pé no topo mais afastado da mesa, com um ar misterioso. Depois, sem uma palavra, sai.)

(Uma pausa, depois:)

ARBUTHNOT: O que deveremos depreender
disto?

*(Os outros dois abanam a cabeça, igualmente
perplexos.)*
*(Olham os três para o relatório, assim como to-
dos os membros do Comité. Lêem o frontispício.)*

ARBUTHNOT: *(Após um breve momento.)*
Humm... perdoai, cavalheiros. Lestes a primeira
página?

(Moivre assente.)

ARBUTHNOT: Sr. Bonet?

BONET: Sim, sim, acabei de a ler.

ARBUTHNOT: Não consigo compreender este
documento. Posso sugerir que leiamos de novo
esta página... em voz alta?

BONET: Se o desejais. *(Lê em tom cerimonioso.)*
"Um relato do livro intitulado *Commercium*

Epistolicum Collinii & Aliorum." *(Volta-se para Moivre.)* *Commercium Epistolicum Collinii?*

MOIVRE: *(Impaciente.)* Uma troca de cartas com o Sr. Collins.

ARBUTHNOT: E outros!

BONET: Pois claro. Mas quem é o Sr. Collins?

ARBUTHNOT: *(Ainda mais impaciente.)* James Collins... um conhecido íntimo de Sir Isaac... mas já falecido. Continuai, por favor.

BONET: *(Continua a ler em voz alta.)* "Publicado por ordem da Royal Society, em relação à disputa entre o Sr. Leibniz e o Sr. Newton, acerca do direito de invenção do Método das Fluxões, por alguns chamado *(olha para Moivre)* de Cálculo Diferencial".

MOIVRE: *(Lê em tom igualmente afectado.)* "Este *commercium* é composto por várias cartas e documentos antigos. E uma vez que, nem o Sr.

Newton nem o Sr. Leibniz poderiam ser testemunhas, a Royal Society nomeou um numeroso comité de cavalheiros de várias nações". *(Alto, em voz normal.)* Somos nós...

ARBUTHNOT: Por favor continuai.

MOIVRE: "...para pesquisar cartas e papéis antigos e relatar as suas opiniões sobre o que encontraram". Presumo que estas cartas e papéis ser-nos-ão fornecidos para formarmos o nosso juízo.

BONET: Será? Diz, "E por estas cartas e papéis pareceu-lhes que o Sr. Newton tinha o método no ano de 1669, ou antes, e não lhes pareceu que o Sr. Leibniz o tivesse antes do ano de 1677." *(Uma pausa.)*

ARBUTHNOT: Posso pedir-vos que repitais isso?

BONET: *(Mais lenta e enfaticamente.)* "E por estas cartas e papéis pareceu-lhes que o Sr. Newton tinha o método no ano de 1669, ou antes, e não lhes pareceu..."

ARBUTHNOT: *(Interrompe.)* Como pode isto
ser?

*(Outros membros do Comité, notando agora a
peculiaridade, reagem.)*

MOIVRE: Como pode ser o quê?

ARBUTHNOT: "Pareceu-lhes". *(Mais alto.)*
"Pareceu-lhes"? O que é que Sir Isaac nos
pede, exactamente? *(Pausa.)* Somos ou não um
comité? Estamos aqui reunidos para julgar o
assunto ou não?

MOIVRE: É um relatório bastante longo.
(Folheia as páginas para ver a última.)
Cinquenta e uma páginas. Talvez o termo
"pareceu-lhes" se destine a acelerar as coisas.

ARBUTHNOT: Disparate! *(Pausa.)*
Parece-me mais que o Sir Isaac está a
apresentar as suas provas e espera que nós
as confirmemos e assinemos sem qualquer
escrutínio adicional.

BONET: Exactamente.

ARBUTHNOT: É um ultraje!

MOIVRE: Assim parece.
BONET: Um insulto.

ARBUTHNOT: Muito pior que qualquer insulto
vulgar! Isto é um escândalo! Como homens
de consciência e princípios, não devemos...
podemos... iremos... tolerar ser manipulados
desta forma pelo Sr. Newton!

BONET: Nunca.

ARBUTHNOT: Obviamente recusaremos
assinar um documento tão cínico, Sr. Bonet.

BONET: Bien sûr.

ARBUTHNOT: Sr. Moivre?

MOIVRE: *(Um momento de hesitação.)* Sim...
(Uma pausa.)

ARBUTHNOT: Desejais acrescentar algo, Sr. Moivre?

MOIVRE: Deixai-me recordar-vos, cavalheiros, como descobri o *Principia Mathematica* de Newton.

ARBUTHNOT: *(Impaciente.)* Não consigo perceber a relevância disso para o assunto em questão.

MOIVRE: Ireis perceber. Um dia, tendo ido visitar o conde de Devonshire, vi, na antecâmara, uma cópia do Principia com que Newton tinha vindo presentear o conde nesse mesmo dia. Abri-o e descobri, para meu espanto, que, embora me julgasse forte a matemática, apenas conseguia seguir o raciocínio. No dia seguinte adquiri uma cópia e arranquei as páginas. Bem vedes, Londres é enorme, e sendo eu tutor de simplórios ingleses endinheirados, muito do meu tempo é empregue apenas a caminhar. É isso que me reduz o lucro e corta nos tempos livres para o estudo, mas rasgando folha após folha do Principia e levando algumas de cada vez no

bolso, podia examiná-las nas minhas caminha-
das. Pouco tempo depois fui eleito membro da
Royal Society.

BONET: Pergunto-me quantos mais terão sido
eleitos por mutilar um livro.

MOIVRE: Fosse qual fosse a razão, fiquei agradecido por ter sido eleito. Para mim, o criador
do *Principia Mathematica* é incapaz de errar.

| *(Bonet e Arbuthnot trocam olhares.)*

ARBUTHNOT: Ah... compreendo. *(Pausa.)* Sr.
Bonet? Vós estais, certamente, comigo nesta
questão.

BONET: Certamente.

ARBUTHNOT: E tenho a certeza que, entre nós
os dois, conseguiremos persuadir o Sr. Moivre
a colocar as obrigações da moral acima dos
sentimentos de gratidão, perfeitamente compre-
ensíveis aliás, para com...

BONET: *(Rapidamente.)* Com certeza. No entanto, seria preferível se o Comité adiasse a decisão de assinar ou não este documento.

ARBUTHNOT: Um momento! Por que razão precisaria o Comité de tempo para considerar? Não concordais...

BONET: Certamente, meu caro Doutor. Certamente que concordo. Concordo inteiramente... no geral.

ARBUTHNOT: No geral?

BONET: Sim.

ARBUTHNOT: Se tendes alguma objecção quanto ao meu raciocínio é melhor dizê-lo imediatamente, Sr. Bonet, antes que vos marque como aliado.

BONET: Então, então, que conversa é essa de "aliados"? É claro que não tenho qualquer objecção... nenhuma!

ARBUTHNOT: Óptimo.

BONET: Apenas recomendo que o Comité seja suspenso para um período de reflexão individual.

ARBUTHNOT: Reflexão sobre quê?

BONET: Quem pode dizer? *(Talvez indicando Moivre.)* Sobre a consciência de cada um, talvez.

ARBUTHNOT: *(Olhando de soslaio para Moivre.)* Ah, sem dúvida, sobre a consciência de cada um.

COMITÉ: *(Ad lib.)* Aprovado, aprovado, a consciência de cada um, muito bem, muito bem, suspendamos.

MOIVRE: *(Após um instante.)* Bom, vamos então suspender, cavalheiros?

COMITÉ: *(Uma vez mais, ad lib.)* Sim, sim... suspender.

ARBUTHNOT: Nesse caso, encontremo-nos todos de novo amanhã à mesma hora.

(Levantam-se todos.)

ARBUTHNOT: Bom dia, cavalheiros.

COMITÉ: *(Ad lib.)* Bom dia.

(Saem todos, incluindo Arbuthnot. Moivre detém Bonet.)

MOIVRE: Sr. Bonet, a propósito de Herr Leibniz: uma vez que ele é presidente da vossa Academia em Berlim, tive esperança que me assegurasse uma cátedra.

BONET: Aconselhar-vos-ia a nao informar o Dr. Arbuthnot desse facto.

MOIVRE: Não, sem dúvida, ele é um homem de princípios e age de acordo com os seus preceitos. Mas já nao interessa, uma vez que o meu pedido caiu em saco roto.

BONET: Ah. Que inconsideração da parte de Herr Leibniz.

MOIVRE: É verdade que o vosso rei nomeou Leibniz presidente vitalício?

BONET: É verdade! E com um salário jeitoso... também vitalício.

MOIVRE: Na Royal Society não temos presidente vitalício... nem recebe remuneração.

BONET: Estou ao corrente disso.

MOIVRE: Certamente que sois membro da vossa academia de Berlim?

BONET: Não sou.

MOIVRE: No entanto tornaste-vos membro da Royal Society há apenas alguns meses. Seria descortês perguntar porque razão não sois membro da vossa própria academia?

BONET: Creio que o virei a ser, e em breve.

MOIVRE: Ah sim? Esplêndido! Em que categoria? Matemática não, presumo...

BONET: Teologia.
MOIVRE: Para a qual Leibniz vos proporá?

BONET: Quem sabe, Sr. Moivre... quem sabe?

(Não querendo abusar mais da sua sorte, Moivre apenas sorri educadamente. Saem.)

MOIVRE: *(À medida que saem:)* Achais que nos será servido um jantar?

FIM DA CENA 3

CENA 4

Cibber, de novo a ler indicações de cena:
"Londres, 1712, o mesmo dia da cena
anterior. Salão de Lady Brasenose".

LADY BRASENOSE: Porquê? *(Pausa, depois*
com intensidade crescente.) Porquê? Porquê? Porquê? *(Pausa mais longa.)* Sr. Bonet!
Porquê?

(Bonet caminha até à janela, permanece
calado. Face a isto, Lady Brasenose assume
um tom formal.)

Sr. Bonet, ouvistes-me?

BONET: Sim.

LADY BRASENOSE: Então porque não respon-
deis?

BONET: Porque Vossa Senhoria não iria compreender.

LADY BRASENOSE: Falta-me inteligência?

BONET: Minha querida Lady Brasenose... essas palavras são suas... não minhas.

LADY BRASENOSE: *(Falsete e sotaque francês.)* "Minha querida Lady Brasenose. Não é apenas a vossa beleza e as vossas maneiras... o vosso cérebro sempre me atrai aqui". *(Volta ao tom normal.)* Estas palavras são vossas.

BONET: Muito tempo atrás.

LADY BRASENOSE: São seis anos assim tanto tempo? Tempo suficiente para a minha beleza ter murchado? Tempo suficiente para a minha educação se ter deteriorado? Tempo suficiente para o meu cérebro ter secado? É isso?

BONET: Não...

LADY BRASENOSE: Nesse caso porque não entrais em confidência comigo? É vossa intenção assinar?

BONET: *(Enfrentando-a, mais firme.)* Minha senhora, vós não sois membro.

LADY BRASENOSE: Não ides dizer-mo porque eu não sou membro? A Royal Society julga que não precisa de mulheres...

BONET: É claro que precisamos de mulheres...

| *(Tensão sexual entre eles.)*

LADY BRASENOSE: Precisais?

BONET: É a razão pela qual sempre aceitei os vossos convites.

LADY BRASENOSE: Isso não teve nada a ver com a Royal Society.

BONET: Fazer parte do vosso círculo ajudou-me, sem dúvida, a tornar-me membro. Toda a gente deseja os vossos convites.

(Ela aproxima-se dele e com o leque toca-lhe no coração.)

LADY BRASENOSE: Então não assineis aquele papel...

(Ele afasta-se dela.)

BONET: Um homem de Deus não deve ser influenciado pela tentação.

LADY BRASENOSE: *(Desapontada, muda de abordagem.)* Mudastes, Sr. Bonet. A tentação discreta costumava atrair-vos. Mas deveria ser a moralidade... e não a tentação... a persuadir um homem de Deus a não assinar aquele papel.

(Neste ponto CIBBER interrompe a acção, que fica estática.)

CIBBER: Moralidade! Mas que raio! Não vai haver romance, namoro, entre estes dois?

VANBRUGH: Não, Colley.

CIBBER: Sir John, penso que vais sentir a falta.

VANBRUGH: Seja como for...

CIBBER: Permite que escreva por ti uma cena apaixonada...

VANBRUGH: Colley!

CIBBER: Já sei, já sei. Ele é um homem de Deus, é a personagem. É extremamente impróprio nele.

VANBRUGH: Os críticos amaldiçoaram-me por promiscuidade, Colley. Desta vez não lhes vou dar essa satisfação.

CIBBER: Nem dar ao público a dele, assim parece. Muito bem, vamos continuar, e ver se a nossa Lady Brasenose consegue encontrar outra... muito mais refinada... forma de persuasão.

(De volta à cena.)

LADY BRASENOSE: Suspeito que o Dr. Arbuthnot irá recusar...

BONET: Isso pode ser um erro.

LADY BRASENOSE: Ele é membro. Não foi o próprio Newton que o escolheu para o Comité?

BONET: Sir Isaac ainda se pode vir a arrepender.

LADY BRASENOSE: É isso que conta? Os arrependimentos de Newton?

BONET: Sim... isso é importante. Mas vós não iríeis compreender.

LADY BRASENOSE: Permita-me discordar, Senhor Bonet... permita-me discordar firmemente. Mas vamos reflectir sobre Sir Isaac Newton. Tem 69 anos e é solteiro... Não sei de nenhuma mulher na sua vida... nem uma... e sei porquê...

BONET: *(Interrompe.)* Mas isso acontece com muitos outros homens. Eu não sou casado.

LADY BRASENOSE: Vós sois quase trinta anos mais novo. Ireis casar qualquer dia... e fazer filhos, claro.

BONET: Porquê "claro"? Vossa senhoria sois casada... no entanto não tendes filhos.

LADY BRASENOSE: Os homens fazem filhos... as mulheres carregam-nos. *(Pausa.)* Escolhi não carregar esse fardo.

BONET: Poucas mulheres têm essa escolha.

LADY BRASENOSE: Porque a maioria dos homens não lhes concede esse privilégio. Mas eu sou privilegiada...

BONET: Em mais do que um aspecto, minha senhora.

LADY BRASENOSE: Como vós, particularmente, deveríeis saber. De momento, sois cauteloso... mas ireis casar. Não desgostais de mulheres... como eu, particularmente, deveria saber.

(Um momento enquanto ele pensa no significado disto.)

BONET: Sir Isaac não gosta de mulheres?

LADY BRASENOSE: Ainda pior... teme-as. Ele nunca casará.

BONET: Ele confidenciou-vos isso?

LADY BRASENOSE: Uma vez... *(Pausa.)*

BONET: Nisso acredito. Muitas vezes ouvi chamar ao vosso salão o confessionário de Londres.

LADY BRASENOSE: Dificilmente consideraria isso como uma honra... vindo de uma boca tão protestante como a vossa.

BONET: Minha senhora, aceitai-o como um elogio, uma vez que eu... um protestante firmado... vos visitei tantas vezes de livre vontade.

LADY BRASENOSE: Poupai-me aos vossos
elogios. Mas, como dizia, eu sei por que razão
Newton permaneceu solteiro.

BONET: *(Cada vez mais curioso.)* Acho isso
intrigante! Poderíeis divulgar a identidade da
vossa fonte?

LADY BRASENOSE: Se o fizesse, o meu
salão tornar-se-ia um confessionário de má
reputação, caso a confidencialidade não
fosse honrada. Mas meu caro Bonet, em que
medida vós... um diplomata... conheceis Sir
Isaac?

BONET: *(Hesita.)* Não muito bem.

LADY BRASENOSE: Mas já vos encontrastes
com ele?

BONET: Apenas uma vez.

LADY BRASENOSE: Em privado?

BONET: Na Royal Society, quando assinei o livro como novo membro.

LADY BRASENOSE: Concluo então que não o conheceis de todo! No entanto, não só devíeis estar ciente das suas qualidades...

BONET: *(Interrompe.)* Os seus méritos são conhecidos...

LADY BRASENOSE: *(Interrompe, por sua vez.)* Mas também das suas fraquezas, idiossincrasias... e mais. Por exemplo, reparai na sua afeição por anagramas.

BONET: Anagramas? Isso é relevante?

LADY BRASENOSE: Ouvi dizer que, quando Newton pensou pela primeira vez no seu Método das Fluxões, o escreveu no seu caderno...

BONET: Certamente que isso é usual. Em que outro lugar o haveria de ter escrito?

LADY BRASENOSE: Mas disfarçá-lo em anagramas secretos? Ou será que agora os anagramas se tornaram moda nos escritos académicos? *(Agita a mão com desdém.)* Não interessa. Newton, neste sentido, foi para além da matemática. Uma vez mostrou-me as palavras "Jeova sanctus unus". É claro que agora o negaria.

BONET: Porquê negá-lo? Certamente que as palavras latinas para "Aquele que é sagrado para Deus" não são sacrílegas...

LADY BRASENOSE: Reparai que em Latim as letras J e I são permutáveis.

BONET: *(Aborrecido.)* Não consigo ver a relevância.

LADY BRASENOSE: Veríeis se reordenásseis as letras em "Jeova sanctus unus" e chegásseis a "Isaacus Neutonus".

BONET: Os nomes de Sir Isaac em Latim?

LADY BRASENOSE: Sem dúvida. E deveria o presidente da Royal Society considerar-se "Aquele que é sagrado para Deus"? Porque nasceu no dia de Natal e sem pai vivo? Sagrando-se, a si próprio, mensageiro divino, possuído pela convicção de um filho sagrado para construir uma imagem do desígnio de Deus para a natureza?

BONET: Pode ter-se divertido com anagramas. Nem tudo o que se diz é sentido!

LADY BRASENOSE: Isso pode ser verdade para os diplomatas... como vós. Mas aqueles que o conhecem, dir-vos-ão que Newton sente tudo aquilo que diz. *(Pausa.)* Vós dizeis-vos um homem de Deus, agora. Assinareis o vosso nome em apoio a um reles, herético... até mesmo pervertido...

BONET: *(Interrompe zangado.)* Recuso ser questionado desta forma! Mesmo por vós, Lady Brasenose. A seu tempo sabereis a resposta. *(Pausa.)* Se não por mim, então seguramente por alguém menos contido.

LADY BRASENOSE: Uma tentação à qual não resistirei... mesmo que isso requeira soltar lábios mais apertados que os vossos.

| *(Ele sai.)*

FIM DA CENA 4

CENA 5

Vanbrugh lê as indicações de cena: "Londres, 1712, mais tarde nesse mesmo dia. O Dr. Arbuthnot e a Sra. Arbuthnot em discussão acalorada".

ARBUTHNOT: Porquê? Porquê? Porquê? *(Pausa maior, depois com intensidade crescente.)* Margaret! Porque não me respondes?

SRA. ARBUTHNOT: Não posso.

ARBUTHNOT: Mas porquê? Depois de eu ter dado indicações precisas de que ninguém associado ao Comité deveria ser recebido.

SRA. ARBUTHNOT: Eu não o convidei, John. Ele é que veio para falar contigo. O que é que eu podia fazer?

ARBUTHNOT: O que é que fizeste?

SRA. ARBUTHNOT: Ofereci-lhe um refresco. Trocámos amabilidades.

ARBUTHNOT: Não conversaram?

SRA. ARBUTHNOT: Não ficámos ali... surdos e mudos.

ARBUTHNOT: Margaret, não brinques comigo. Falaram do Comité?

SRA. ARBUTHNOT: Como poderia eu? O que sei eu sobre isso, visto que não me contas nada de concreto?

ARBUTHNOT: Na verdade, contei-te demasiado. E agora arrependo-me. Que mais transpirou?

SRA. ARBUTHNOT: Nada. Foi-se embora... desapontado por não falares com ele.

ARBUTHNOT: Muito bem, vamos deixar isto por aqui. *(Pausa.)* Tens a certeza absoluta que não disseste nada?

SRA. ARBUTHNOT: Não... nada. John... não vais confiar na tua mulher, agora que o Comité já reuniu e o assunto está terminado?

ARBUTHNOT: O assunto não está terminado.

SRA. ARBUTHNOT: Como... não está terminado?

(Pausa enquanto ele pondera contar-lhe.)

Quem estava presente?

ARBUTHNOT: Os onze.

SRA. ARBUTHNOT: Mais ninguém?

ARBUTHNOT: Newton.

SRA. ARBUTHNOT: Newton, claro... mas quem mais?

ARBUTHNOT: Ninguém. O Newton é esperto... mas também cauteloso. Para quê convidar testemunhas desnecessárias? O Comité já está inundado com os seus bajuladores.

SRA. ARBUTHNOT: Não teria sido politicamente correcto da parte de Newton incluir alguns membros menos em dívida?

ARBUTHNOT: Havia alguns.

SRA. ARBUTHNOT: O Sr. Bonet?

ARBUTHNOT: É um.

SRA. ARBUTHNOT: E tu.

ARBUTHNOT: *(Assentimento abatido.)* E eu.

SRA. ARBUTHNOT: *(Impaciente.)* Oh John! Conta-me o que aconteceu.

ARBUTHNOT: Quis ser honesto.

SRA. ARBUTHNOT: Isso não foi mal pensado?

ARBUTHNOT: *(Assente.)* Não está a verdade para a compreensão, do mesmo modo que a música para o ouvido, ou a beleza para o olhar?

SRA. ARBUTHNOT: Newton está preocupado com a compreensão do universo. Essa verdade preocupa-o... mas mais nenhuma música chega aos seus ouvidos. O que é que ele disse?

ARBUTHNOT: Nada.

SRA. ARBUTHNOT: Nada de nada?

ARBUTHNOT: Absolutamente nada.

SRA. ARBUTHNOT: *(Mais exasperada.)* John! Nunca tive de puxar tanto por ti. Não confias em mim?

ARBUTHNOT: É uma questão de vergonha... não de confiança.

SRA. ARBUTHNOT: *(Mais calorosa.)* Então confia em mim... sou a tua mulher.

ARBUTHNOT: Pensei no Flamsteed, o nosso astrónomo Real. Mandou-me uma vez uma nota que dizia: "Aqueles que começaram a fazer coisas erradas, nunca coram ao fazer coisas piores para se salvaguardarem". Na altura pensei que ele estava a falar de Newton, e agora tenho a certeza.

SRA. ARBUTHNOT: Que queres dizer?

ARBUTHNOT: Foi-nos entregue o relatório terminado antes de o Comité ter reunido convenientemente. E o pior estava para vir! A presunção de Newton excede a sua perversidade.

SRA. ARBUTHNOT: *(Impaciente.)* Como pode ser pior? John! Tens de me contar!

ARBUTHNOT: Newton tinha-o escrito sozinho...

SRA. ARBUTHNOT: *(Chocada.)* Não posso crer! Nem mesmo o Newton seria tão descarado.

ARBUTHNOT: Foi... e, astutamente, intitulou-o de "Uma troca de correspondência entre Collins e outros".

SRA. ARBUTHNOT: John Collins?

ARBUTHNOT: Sim.

SRA. ARBUTHNOT: Mas ele já morreu!

ARBUTHNOT: Sim... cartas escritas ao saudoso John Collins e outros correspondentes falecidos, por Leibniz e Newton... e agora seleccionadas por Newton... para suportar a sua causa, com as suas próprias palavras, e sem contradição por parte dos mortos.

SRA. ARBUTHNOT: Que descaramento. E era suposto assinares... sem qualquer discussão?

ARBUTHNOT: Todos nós.

SRA. ARBUTHNOT: E fizeste-o? Não desejaria que sofresses a ira de Sir Isaac. Ambos sabemos da sua astúcia sem paralelo. Assinaste, não foi?

ARBUTHNOT: Nenhuma pena tocou o papel!

SRA. ARBUTHNOT: Oh!

ARBUTHNOT: O Comité voltará a reunir amanhã. Nessa altura teremos de decidir.

SRA. ARBUTHNOT: Então ainda há tempo. *(Pausa.)* John... tenho receio.

ARBUTHNOT: De mim... o teu marido?

SRA. ARBUTHNOT: Não de ti... mas por ti! Tenho receio das consequências se não assinares.

ARBUTHNOT: Margaret, sou um membro da Royal Society...

SRA. ARBUTHNOT: Mas ele é o presidente.

ARBUTHNOT: Ele perceberá, quando eu explicar...

SRA. ARBUTHNOT: Ele pode perceber... mas nunca te perdoará.

ARBUTHNOT: Disparate!

SRA. ARBUTHNOT: John... estás a ser temerário.

ARBUTHNOT: Prometo ser diplomático... mas honesto. Uma inverdade contraria-se melhor com uma verdade... não com outra inverdade.

SRA. ARBUTHNOT: Não me estás a ouvir, John? Isso nunca resultará, com ele. Diplomacia? Talvez. Mas honestidade?

ARBUTHNOT: Essa é uma conclusão injustificada.

SRA. ARBUTHNOT: Por mais diplomacia que se use, Newton nunca aceitará uma explicação honesta que o critique...

ARBUTHNOT: Não o criticarei.

SRA. ARBUTHNOT: Ele vai entender a tua recusa em assinar como uma crítica pública.

ARBUTHNOT: Explico-lhe em privado.

SRA. ARBUTHNOT: A ausência do teu nome naquele documento já será insulto suficiente.

ARBUTHNOT: Vou mostrar que estás errada.

SRA. ARBUTHNOT: John! Assina. Não podes correr esse risco. Ele vai cuspir em ti... *(pausa)* e depois convencer-te que está a chover.

ARBUTHNOT: Margaret!

SRA. ARBUTHNOT: Já esqueceste a sua crueldade? Enquanto provedor da Casa da Moeda, o Newton aplaude o esfolar e enforcar de muitos que cruzam o seu caminho.

ARBUTHNOT: É dever do provedor da Casa da Moeda assegurar a estabilidade e segurança da cunhagem do nosso país. Os falsários devem ser punidos!

SRA. ARBUTHNOT: Mas assistir em pessoa à execução de cada falsário e cerceador...
e fazê-lo durante tantos anos?
Dificilmente será um requisito para um ocupante de tão alto cargo. *(Pausa.)*
John, tens de assinar aquele relatório!
Se não por ti, por mim.

ARBUTHNOT: Porque não apoias a minha decisão?

SRA. ARBUTHNOT: Assina. Ou ele esfola-te e enforca-te!

ARBUTHNOT: Margaret, ele não é nenhum monstro!

SRA. ARBUTHNOT: John, por amor de Deus. Assina!

ARBUTHNOT: Para onde quer que me vire, estou rodeado por... depravação... moral! E agora tu, a minha própria esposa...

SRA. ARBUTHNOT: Fá-lo! Por favor!

ARBUTHNOT: Não, minha senhora, não vou assinar a perda da minha reputação! Não conheces o teu próprio esposo? Eles que me pendurem no Tyburn[4] como traidor do meu país, mas eu... não... assinarei aquele documento falso!

(Ele sai tempestuosamente. Ela sai logo a seguir.)

(CIBBER dirige-se a VANBRUGH.)

CIBBER: Se fosse a vós, Sir John, colocaria aqui um intervalo.

---

[4] Local de execuções em Londres

VANBRUGH: Óptimo conselho. De qualquer forma, preciso de urinar.

| *(Eles saem.)*

FIM DA CENA 5 E FIM DO PRIMEIRO ACTO

SEGUNDO
ACTO

CENA 6

Cibber: "Londres, 1712. O Sr. Newton espera na penumbra de uma antecâmara da Royal Society. O Dr. Arbuthnot entra trazendo o relatório. O Sr. Newton gesticula para ele se sentar enquanto se mantém de pé, sobranceiro".

ARBUTHNOT: Sir Isaac, deduzo que nem uma palavra será alterada neste relatório?

(Newton está silencioso.)

ARBUTHNOT: E será, portanto, publicada sem correcções... mesmo que alguns membros tenham objecções?

(Silêncio algo ameaçador de Newton.)

ARBUTHNOT: Compreendo... sim... claro. *(Pausa.)* Semelhante protesto seria, aos vossos olhos, apostasia?

(Assentimento fraco de Newton.)

ARBUTHNOT: Inaceitável para o Presidente da Royal Society? ·

NEWTON: *(Tom ameaçador.)* Segundos inventores não têm direitos, Dr. Arbuthnot. <u>Nenhum</u>!

ARBUTHNOT: Sem dúvida que não... nenhum, de todo. No entanto, a mim, Sir Isaac... e falo apenas por mim... os conflitos declarados desagradam-me.

NEWTON: Mas também a mim, Dr. Arbuthnot. Nada de conflitos declarados.

ARBUTHNOT: Se me permite que faça uma proposta, Sir Isaac...

| *(Newton está silencioso.)*

ARBUTHNOT: O que é preciso aqui é publicar... um relatório unânime...

NEWTON: *(Levanta o dedo indicador – ou outro gesto – para dar ênfase.)* Unânime! Os onze!

ARBUTHNOT: Naturalmente. Sem excepção. Nenhuma! *(Pausa.)* Mas, para isso, a identidade do Comité poderia permanecer desconhecida.

NEWTON: *(Assente.)* Um "Numeroso Comité de Cavalheiros de Várias Nações".

ARBUTHNOT: Precisamente. E tendo isso por adquirido, um raciocínio lógico, então, não favorecerá ele o meu pedido *(olhar interrogativo, talvez mesmo implorante, para Newton)*...

| *(Silêncio de Newton.)*

ARBUTHNOT: ...para que a unanimidade por voto, de um Comité anónimo, já não necessite ser confirmada através de assinatura?

| *(Silêncio de Newton.)*

ARBUTHNOT: A publicação deverá ser suficiente. *(Pausa.)* Certamente que o é, Sir Isaac... não é?

| *(Silêncio de Newton.)*

ARBUTHNOT: E além disso, poderei arriscar-me a assegurar que... sob tais condições, a unanimidade poderá ser assegurada... Sir Isaac? Pelos onze. Todos!

(Pausa breve. Newton ergue-se. Arbuthnot ergue-se. Sem nada dizer, Newton sai.)

FIM DA CENA 6

CENA 7

Cibber. "Londres, 1712, casa dos Arbuthnot.
A Sra. Arbuthnot caminha impacientemente.
Levanta o olhar quando o esposo entra".

SRA. ARBUTHNOT: John...

ARBUTHNOT: Terminou. E não há mais nada
a dizer!

(Atravessa tempestuosamente o palco e sai.
Depois regressa. Senta-se. Ela aguarda.)

ARBUTHNOT: Entrei com o pé errado.

SRA. ARBUTHNOT: Com honestidade? *(Ao*
vê-lo assentir de forma fatigada, ela continua,
mais gentilmente.) John, tinha-te avisado.
(Aproxima-se para lhe afagar a mão, ou outro
gesto de afecto.) O que disseste?

ARBUTHNOT: Pensei em Francis Bacon: "Há
pouca amizade no mundo... pelo menos entre
iguais". Apeteceu-me perguntar: "Porque não
provar que Bacon estava errado?"...

SRA. ARBUTHNOT: E perguntaste?

ARBUTHNOT: Não, a preocupação do Comité é com a superioridade... da ciência inglesa. A amizade é irrelevante. Se fora conveniente para os alemães colocarem em Leibniz a coroa de outro, era dever do Comité devolver a Newton o que realmente é dele.

SRA. ARBUTHNOT: E foi isso que disseram a Newton?

ARBUTHNOT: Quase não tivemos de... agora somos todos bajuladores...

SRA. ARBUTHNOT: Pelo menos o assunto sórdido está terminado.

ARBUTHNOT: Está?

SRA. ARBUTHNOT: *(Preocupada.)* John, por favor diz-me que assinaste.

ARBUTHNOT: Não, minha senhora, eu não assinei.

SRA. ARBUTHNOT: Meu Deus!

ARBUTHNOT: Nenhum de nós assinou
porque o relatório vai ser publicado, de
qualquer forma. Com a nossa aprovação
"anónima". Foi essa a minha proposta e
Newton está satisfeito com ela. E espero,
minha senhora, que estejais igualmente
satisfeita. *(Prepara-se para sair.)*

SRA. ARBUTHNOT: John... Isso é injusto.
A minha preocupação era a protecção do meu
marido e dos meus filhos. Ambos sabemos
o que ele teria feito se o tivesses contrariado.

ARBUTHNOT: "Aqueles que começaram a fazer
coisas erradas, nunca coram ao fazer coisas
piores para se salvaguardarem". Pensei que as
palavras de Flamsteed se referiam a Newton.
Agora, não tenho tanta certeza. *(Pausa.)* Vou
para o meu escritório... organizar as ideias.
Ficaria agradecido se me deixasses em paz.

(Ele sai.)

*(LUZ SOBRE CIBBER E VANBRUGH,
enquanto a Sra. Arbuthnot desaparece na
escuridão.)*

CIBBER: Uma cena concisa.

VANBRUGH: A concisão tem o seu lugar...
mesmo no palco.

CIBBER: Verdade... neste caso. Mas quanto a Newton,
temo que o teu público precise de saber mais.

VANBRUGH: Hum.

CIBBER: Toda a gente sabe porque se tornou
presidente da Royal Society... o maior filósofo
natural e matemático do nosso tempo, e por aí
adiante. Mas... precisamos de mais escândalo!

*(Pensam por instantes. Cibber serve uma
bebida a ambos.)*

VANBRUGH: É claro que alguns perguntaram
porque deixou ele Cambridge para aceitar a

nomeação de Sua Majestade como provedor da Casa da Moeda.

CIBBER: Isso é óbvio: uma boa quantidade de dinheiro...

VANBRUGH: "O amor ao dinheiro é a raiz de todos os males". 1 Timóteo 6:10.

CIBBER: Citar o Novo Testamento dificilmente será escandaloso, John.

VANBRUGH: O amor excessivo pelo dinheiro poderá ser...

CIBBER: Então devíamos usar isso!

VANBRUGH: Bem...

CIBBER: Sim, conta lá!

VANBRUGH: Houve a sua especulação na South Sea Company... mas *(bruscamente)* prefiro não despertar esse assunto doloroso. Mostrou que não aprendemos nada com a "loucura das tulipas" holandesa.

CIBBER: Também compraste acções?

VANBRUGH: E perdi-as todas!

CIBBER: *(A pensar.)* Há, por acaso, alguma personagem na peça à qual isso tenha acontecido?

VANBRUGH: Penso que Arbuthnot. *(Pausa.)* E também Alexander Pope. "É ignominioso não arriscar", escreveu ele ao seu solicitador.

CIBBER: Hum... E Sir Isaac?

VANBRUGH: Ele teve um lucro de 100% no seu investimento com a subida das acções. Mais uma prova da sua genialidade com os números...

CIBBER: Um ponto que não valerá a pena destacar na peça. Mas, continua.

VANBRUGH: As acções continuaram a subir...
a subir...

CIBBER: Uma história familiar ainda nos dias
de hoje.

VANBRUGH: Até que, mesmo o grande Newton,
nessa altura já provedor da Casa da Moeda,
arriscou outra vez.

CIBBER: E perdeu?

VANBRUGH: Vinte mil libras.

CIBBER :*(Chocado, no entanto encantado.)*
Vinte mil! Será de usar isso?

VANBRUGH: *(Meneia a cabeça com dúvidas.)*
É tentador... no entanto demasiado comum...
especialmente hoje em dia. Vai diluir a questão
que desejo destacar.

*(Bebem mais um copo e pensam mais um
pouco.)*

CIBBER: Ora bem, temos que ter algo igualmente escandaloso.

VANBRUGH: Alquimia?

CIBBER: Alquimia parece promissor.

VANBRUGH: Newton não estava apenas interessado na Alquimia... estava obcecado por ela. Mas infelizmente... para nós... ele andava atrás da pedra filosofal... da unidade da natureza... e não atrás de ouro. Mas Sir Isaac foi cauteloso! Nunca escreveu ou falou em público sobre o assunto. E além disso, não é relevante para a disputa em questão, que tem a ver com matemática.

CIBBER: *(Aborrecido e impaciente.)* Oh, matemática! O público dificilmente engolirá mais matemática! *(Pausa.)* É claro que se sugerires que sexo está de certa forma relacionado com matemática...

VANBRUGH: *(Sarcástico.)* Tenho de admitir que tal relação me escapou... até agora. Sei da tua competência num desses domínios... mas nos dois?

CIBBER: Se for exigida competência em matemática a um dramaturgo, nenhuma peça sobre matemáticos será alguma vez escrita.

VANBRUGH: *(Divertido.)* Nesse caso, esclarece-me sobre a relação entre sexo e matemática.

CIBBER: Ambos podem produzir resultados práticos... até mesmo inesperados... mas não é isso que ocupa a cabeça dos praticantes quando se entregam a eles. *(Pausa.)* A maior parte das vezes é o prazer.

VANBRUGH: E a curiosidade, não?

CIBBER: Satisfazer a curiosidade provoca, muitas vezes, prazer.

VANBRUGH: Colley, temo que isto não nos esteja a levar a nenhum lado.

(Bebem – um hiato na conversa.)

CIBBER: Bem, podemos esquecer um escândalo com Newton.

VANBRUGH: Colley, já disse antes que...

CIBBER: Sim, sim, os anões... esses malditos anões! Mas, por amor de Deus, porquê incluir o ministro do rei da Prússia em Inglaterra? Dificilmente será uma ocupação escandalosa...

VANBRUGH: Nenhuma das minhas personagens tem uma ocupação escandalosa... muito menos o Bonet. O que pretendo desmascarar é o comportamento escandaloso delas.

CIBBER: Os alemães nunca são escandalosos. Instruídos? Sim... Trabalhadores? Sempre... Chatos? Muitas vezes... Cruéis? Talvez... Mas escandalosos?

VANBRUGH: O nosso Bonet não é alemão. Alguns chamar-lhe-iam suíço...

CIBBER: Suíço? Meu Deus, John! Ainda pior que alemão! Para os suíços... o que não é proibido é proscrito. Aconselho eliminá-lo da peça.

VANBRUGH: Este Bonet é de Genebra.

CIBBER: Porque não disseste antes? Isso é um factor atenuante... possivelmente até promissor. Os escândalos franceses são os melhores... e Genebra fica mesmo na fronteira.

VANBRUGH: Ele estudou medicina em Leiden, quando tinha quinze anos.

CIBBER: Nunca diria isso na peça!

VANBRUGH: Porque Leiden fica na Holanda?

CIBBER: Refiro-me à idade. No palco, a precocidade nunca é apreciada. Não, não, não podemos ter nada disto na peça. Não dá, John, é a minha última palavra quanto a este assunto.

VANBRUGH: Estou a ver. Só serás meu colaborador até onde o teu capricho permitir.

CIBBER: O meu capricho? Ou o gosto do público pelo divertimento?

(Impasse. Vanbrugh sugere maliciosamente:)

VANBRUGH: Permitirias que referisse que, em Londres, Bonet entrou primeiro para a *Sociedade para a Evangelização*[5] e, quatro anos depois, a *Sociedade para a Promoção do Conhecimento Cristão*[6]?

CIBBER: Mas que raio! Começo a não gostar do homem...

VANBRUGH: Porquê?

CIBBER: Não consigo digerir prosélitos piedosos. Além disso eles não querem saber de teatro.

---

[5] Society for the Propagation of the Gospel

[6] Society for the Promotion of Christian Knowledge

VANBRUGH: Pode ser que sim... mas a religião dele é relevante para a nossa peça, como te vou demonstrar.

CIBBER: Ah sim?... Bom, espero que valha a pena.

FIM DA CENA 7

CENA 8

Vanbrugh: "Londres, 1712. No salão de Lady Brasenose. Dr. Arbuthnot, Bonet e Lady Brasenose em conversa animada... e, até, contenciosa".

LADY BRASENOSE: Agora dizei-me: o Sir Isaac levou a dele a melhor?

ARBUTHNOT: Porquê perguntar-nos a nós?

LADY BRASENOSE: Porque estáveis lá!

ARBUTHNOT: Assim como outros nove.

LADY BRASENOSE: Eu tinha mais confiança em vós... os dois.

BONET: Minha senhora, usais o pretérito. Já não tendes confiança?

LADY BRASENOSE: *(Mordaz, mas com um sorriso.)* Prestais atenção às nuances...

BONET: Em diplomacia, a precisão na linguagem leva à imprecisão no significado.

LADY BRASENOSE: *(Ri abertamente.)* Sinto-me tentada a prosseguir esta linha de conversa... adequa-se bem a um salão. Mas vou resistir. Vá lá, desembuchai! O relatório já está na tipografia. A decisão do vosso comité foi unânime?

BONET: Foi.

LADY BRASENOSE: Sem informar o Leibniz? Sem o convidar a fornecer documentos em sua defesa?

ARBUTHNOT: Sem semelhantes acções.

LADY BRASENOSE: E no entanto, todos vós assinastes? Devíeis ter vergonha!

BONET: Estais a menosprezar as nuances, Lady Brasenose! Eu disse que a decisão foi unânime...

ARBUTHNOT: Mas nós não assinámos.

LADY BRASENOSE: *(Surpreendida.)* Como é que conseguistes isso?

BONET: Ninguém assinou!

LADY BRASENOSE: Sir Isaac é mais maleável do que supunha.

ARBUTHNOT: Mais maleável não... apenas mais subtil.

LADY BRASENOSE: Ou mais sinuoso? *(Faz um gesto de desdém.)* Não interessa. O que provocou a sua mudança de ideias?

BONET: *(Aponta para Arbuthnot.)* A diplomacia do nosso Doutor.

LADY BRASENOSE: Se agora os nossos médicos se tornam diplomatas, o que acontecerá aos nossos diplomatas?

ARBUTHNOT: Receio que a vossa questão não seja aplicável neste caso. Tanto o médico *(apon-*

ta para si próprio) como o diplomata *(aponta para Bonet)* escolheram prevaricar.

BONET: Dr. Arbuthnot... sois demasiado severo.

ARBUTHNOT: *(Vira-se para Bonet.)* Serei? O que é um prevaricador, do vosso ponto de vista?

BONET: Um sofista... ou falacioso.

LADY BRASENOSE: Por outras palavras... um diplomata.

ARBUTHNOT: *(Calmamente.)* Fomos covardes...

LADY BRASENOSE: A covardia e a diplomacia não são mutuamente exclusivas! Mas, Dr. Arbuthnot, nunca antes vos tinha visto auto-flagelar... pelo menos em minha casa. Já era tempo de vos libertardes disso. Esclarecei-me... ambos! Sempre vos considerei homens de princípios.

BONET: Os princípios existem para serem quebrados... pelo menos em certas alturas.

LADY BRASENOSE: É o diplomata a falar...?

BONET: Ou o clérigo. "Não matarás" nunca impediu as guerras religiosas.

LADY BRASENOSE: *(Impaciente.)* Quero saber da prevaricação... não da sua racionalização.

BONET: A identidade do Comité manter-se-á desconhecida. *(Aponta para Arbuthnot.)* O caro Doutor poderá explicar... uma vez que foi iniciativa sua.

ARBUTHNOT: A unanimidade de um "Numeroso Comité de Cavalheiros de Várias Nações" não necessita ser confirmada por assinatura. A publicação é suficiente.

LADY BRASENOSE: Como o decreto de morte para Charles I?

ARBUTHNOT: Uma comparação pertinente. Matar a reputação de um académico também é assassínio.

BONET: *(Pausa.)* A proposta do Dr. Arbuthnot foi apoiada unanimemente.

LADY BRASENOSE: *(Com admiração.)* Nunca me tinha apercebido que a prevaricação pudesse ser tão eficaz.

ARBUTHNOT: Lady Brasenose... e Sr. Bonet. Peço desculpa, mas tenho de ir. Aguarda-me um paciente que não posso fazer esperar.

| *(Sai.)*

LADY BRASENOSE: *(Volta-se para Bonet.)* Mas vós poderíeis ter sido a honrosa excepção à unanimidade. Sois o que menos tem a temer de Newton. A ira dele não vos seguiria até Genebra. Agora que estamos sós, espero que faleis honestamente.

BONET: Eu não votei a_favor de Newton... votei contra Leibniz.

LADY BRASENOSE: E proclamastes Leibniz um plagiador?

BONET: Não estou habilitado a fazer julgamentos em matemática.

LADY BRASENOSE: Mas era essa a questão!

BONET: Para mim era uma questão de verdade maior... não propensa a ajustes, por mais infinitesimais que sejam. Num cálculo religioso os ajustes não podem ser tolerados. Os escritos mais recentes de Leibniz justificam a teodiceia, o que considero inaceitável. *(Pausa.)* Como também o considera Newton.

LADY BRASENOSE: A *Odisseia*? Como é que Homero entra na discussão?

BONET *(Impaciente)*: Não é a *Odisseia*. *(Soletra, alto e lentamente, usando o alfabeto francês.)* T E O D I C E I A.

LADY BRASENOSE *(Ri.)* Ah, teodiceia! E depreendo que Newton partilha a vossa visão sobre religião.

BONET: *(Rápido.)* Ambos abominamos a reunificação do Protestantismo e do Papado. Leibniz, no entanto, embora dizendo-se luterano, move-se facilmente em meios católicos... e deseja que sejamos mais a fazê-lo. *(Veemente.)* Esse cripto-católico! E quanto à teodiceia, eu e Newton partilhamos o mesmo ponto de vista.

LADY BRASENOSE: Quanto à teodiceia, tomaria o partido de Leibniz. Não é verdade que a teodiceia argumenta que um Deus omnipotente permitiria a existência do Mal porque o pecado é inevitável? E que o pecado não é obra de Deus mas sim que emerge da inevitável limitação do Homem?

BONET: *(Chocado.)* Argumentos? É especulação superficial da pior espécie. Verdadeira heresia!

LADY BRASENOSE: Especular a propósito da existência do Mal num mundo criado por um Deus bom, não me parece superficial.
A teodiceia argumentaria que, como o Homem

não pode ser absolutamente perfeito,
o seu conhecimento e o seu poder são
limitados. Logo estamos, não só
predestinados às más acções, como isso é,
também, inevitável, caso contrário existiria
um comportamento absolutamente perfeito
da parte de uma criatura menos do que
absolutamente perfeita. De que outra forma
se explica que Deus tenha permitido as
manipulações de Newton? *(Pausa.)* Ou
atribuís perfeição absoluta a Sir Isaac?

BONET: Lady Brasenose... agora estais a brincar comigo.

LADY BRASENOSE: Apoiastes, realmente,
Newton numa questão a propósito do cálculo
matemático invocando uma avaliação religiosa...
o que quer que isso seja? Tem de haver mais
qualquer coisa.

BONET: *(Perdendo a paciência.)* <u>Há</u> mais.
A Royal Society honrou-me... um estrangeiro...
através da eleição para a sua ilustre sociedade.

E a academia do meu próprio rei não o fez!
O presidente de qual academia é que apoiaríeis?

LADY BRASENOSE: Apoiar Newton é pouco
provável que vos consiga a eleição para a academia de Leibniz.

BONET: Mas votar contra Leibniz fá-lo-á.

LADY BRASENOSE: Agora espevitastes a minha curiosidade.

BONET: Mantereis isto em segredo?

LADY BRASENOSE: Se merecer tal tratamento.

BONET: Merece-o.

LADY BRASENOSE: Muito bem.

BONET: O meu desejo é ser eleito para a cátedra
de Teologia da nossa Academia. O seu director,
Daniel Ernst Jablonski, que também prega na
corte do rei, apoia-me. Ele fundou a Academia,

juntamente com Leibniz. Enquanto Leibniz, como presidente, recebe um salário vitalício, Jablonski e os seus colegas de trabalho não recebem nada.

LADY BRASENOSE: O que levou a que a inveja erguesse a sua cabeça medonha.

BONET: Talvez... mas a atenção de Leibniz, desde então, vagueia longe da Academia.

LADY BRASENOSE: Então tal salário vitalício já não é justificado?

BONET: Ficando à disposição de Jablonski... que trabalha noite e dia para a Academia do rei... parece justo.

LADY BRASENOSE: E se relatardes ao vosso rei a vitória de Newton, os méritos de Leibniz diminuirão?

BONET: *(Com admiração.)* A perspicácia de Lady Brasenose não afrouxou nestes seis anos.

LADY BRASENOSE: Pelo contrário, ficou mais aguçada. *(Pausa.)* Por isso, enquanto ministro, será vosso dever relatar à vossa corte as conclusões da Royal Society.

BONET: Expedirei uma cópia do *Commercium Epistolicum* para Berlim. Não será necessário qualquer comentário da minha parte. É já bastante comprometedor.

LADY BRASENOSE: Porque foi Newton a escrevê-lo.

BONET: Ninguém de fora está a par dessa informação.

LADY BRASENOSE: E a vossa participação no Comité?

BONET: Para quê revelá-la se a própria Royal Society não o fará?

LADY BRASENOSE: *(Irónica.)* Meu caro Bonet. Acabastes de fornecer provas intocáveis a favor da teodiceia...

(Ele está prestes a protestar quando entra Moivre.)

MOIVRE: Lady Brasenose, beijo a vossa mão.
Senhor Bonet, um seu servo.

*(Olha em volta, dirige-se a Bonet mas é
ouvido por Lady Brasenose:)*

Parece que cheguei tarde de mais para os
refrescos.

LADY BRASENOSE: Não tendes vergonha, Sir?

(Ele olha para ela.)

MOIVRE: Depreendo que Vossa Senhoria já
estais informada da decisão do Comité?

*(Ela sorri friamente. Pausa. Ele sorri
benignamente.)*

MOIVRE: Fico comovido com a preocupação de
Vossa Senhoria pelo bem-estar moral do nosso
comité, embora não consiga decifrar a razão.

LADY BRASENOSE: Não é óbvio?

MOIVRE: Óbvio? Talvez... *(Ele volta a sorrir.)* Mas estais ao corrente de que aos vinte anos fui encarcerado por recusar converter-me ao catolicismo? Fugi para Inglaterra e tenho vivido aqui desde então... no entanto continuam a chamar-me francês. *(Amargo.)* Como huguenote emigrado, sobrevivo a ensinar alunos letárgicos... a resolver problemas de sorte e azar em cafés... e até a calcular probabilidades para jogadores.

LADY BRASENOSE: Considero isso chocante.

MOIVRE: Também eu, minha cara senhora... embora, provavelmente, por outras razões. Ainda tenho de encontrar um verdadeiro patrono que me abra a porta para uma posição de mérito... neste país ou no continente.

LADY BRASENOSE: *(Seguindo a linha de pensamento dele.)* Mas agora...?

MOIVRE: Precisamente! Pela primeira vez...
o fardo tornou-se uma vantagem... que usarei
ao máximo. Porque, bem vedes, o presidente
necessita de estrangeiros.

LADY BRASENOSE: *(Friamente.)*
Felicito-vos por não terdes nascido
em Inglaterra.

MOIVRE: Não tenho o hábito de recusar
felicitações... especialmente se oferecidas por
Vossa Senhoria. *(Pausa.)* Sejam quais forem
as razões.

*(Bonet olha para Lady Brasenose.
Ela permanece calada.)*

*(Levantam se todos. Moivre beija a mão de
Lady Brasenose.)*

MOIVRE: Minha senhora... o vosso mais
humilde e obediente servo.

(Moivre dirige-se para a porta e aguarda.)

BONET: *(Beijando-lhe a mão.)* Lady Brasenose, é hora de também eu me retirar.

LADY BRASENOSE: Como desejeis. Mas sois sempre bem-vindo no meu salão.

(Um momento entre eles. Ele oferece um sorriso mas ela rejeita-o desviando o olhar. Bonet despediu-se de Lady Brasenose e os dois homens saem.)

(Ela fica sozinha em reflexão profunda. Depois ARBUTHNOT regressa.)

LADY BRASENOSE: Oh, Dr. Arbuthnot... assustastes-me. Pensei que já havíeis ido há muito.

ARBUTHNOT: Não, esperei... apercebi-me de que tinha esquecido algo.

LADY BRASENOSE: E o que foi?

ARBUTHNOT: Uma confissão... e um pedido.

LADY BRASENOSE: *(Muito curiosa.)*
Nesse caso, sentai-vos, por favor.

*(Eles sentam-se. Um momento de silêncio.
Depois:)*

ARBUTHNOT: Vossa Senhoria alguma vez se
cruzou com Flamsteed, o Astrónomo Real?

LADY BRASENOSE: Mais do que uma vez...
nesta mesma casa.

ARBUTHNOT: Sabeis da sua inimizade para
com Newton?

LADY BRASENOSE: *(Assentindo:)* Newton
odeia o Flamsteed, apesar da sua posição como
Astrónomo Real.

ARBUTHNOT: Ou por causa dela. Embora
dificilmente tal seja justificação para expulsar
da Royal Society o Astrónomo Real por atraso
no pagamento das quotas. *(Pausa.)* E sabíeis
que insisti com Flamsteed para que entregasse o

trabalho da sua vida... as suas tabelas lunares...
a Newton?

LADY BRASENOSE: Sob ordem de Sua
Majestade, sem dúvida...

ARBUTHNOT: Após furiosa persuasão de
Newton.

LADY BRASENOSE: Ele usou-vos.

ARBUTHNOT: Como a muitos outros. A minha
esposa tem receio da ira de Newton... mesmo à
custa de abandonar a minha honra.

LADY BRASENOSE: As preocupações de
vossa esposa estão coloridas pelo afecto e pelo
pragmatismo. As minhas pela moralidade e...
curiosidade.

ARBUTHNOT: Mera curiosidade?

LADY BRASENOSE: Não será isso suficiente...
a curiosidade de uma senhora?

ARBUTHNOT: Minha senhora, sois muito mais do que apenas uma senhora. Por que razão este assunto vos preocupou tão profundamente?

LADY BRASENOSE: *(Uma pausa.)* Posso confidenciar-vos uma coisa, Dr. Arbuthnot?

ARBUTHNOT: Podeis estar segura disso, Lady Brasenose.

LADY BRASENOSE: *(Pausa.)* Newton feriu-me uma vez e, desde então, devo confessar, que ele me desagrada... intensamente.

ARBUTHNOT: Compreendo.

LADY BRASENOSE: E vós? Afinal, a maioria dos homens consegue lidar com o conflito... mas o verdadeiro teste é como exercer a autoridade quando à vista de todos.

ARBUTHNOT: Sem dúvida.

LADY BRASENOSE: Para Newton, o vosso comité não passava de um conjunto de cães de guarda mudos.

| *(Arbuthnot está silencioso.)*

LADY BRASENOSE: Mas esses cães esperam ser alimentados. E nem todos os caninos têm o mesmo apetite. O Moivre, por exemplo, está agradecido por alguns restos.

| *(Pausa.)*

Enquanto... vós?

ARBUTHNOT: *(Após pensar um momento.)* Enquanto eu penso... que isto seria um óptimo assunto para uma peça, uma moralidade...

LADY BRASENOSE: Escreveis para teatro, Dr. Arbuthnot?

ARBUTHNOT: Ainda não. Mas com o cúmplice certo...?

| *(Um momento de ligação entre eles.)*

(CIBBER entra em cena a ler a última página do guião. VANBRUGH segue-o.)

CIBBER: *(Lendo:)* "... Mas com o cúmplice certo?" *(Pausa.)* Uma deixa final intrigante.

VANBRUGH: Um dia perceberás.

CIBBER: Se o dizes. De qualquer forma, é aqui que eu terminaria a peça. "CORTINA. FIM."

| *(Uma pausa.)*

VANBRUGH: Então?

CIBBER: Tenho uma pergunta.

VANBRUGH: Claro.

CIBBER: Quem é a fonte para tudo isto?

VANBRUGH: Não posso dizer.

CIBBER: Ah. É pena. Então receio que não será possível produzir esta peça em Drury Lane.

VANBRUGH: Não?

CIBBER: Difamação, John... o perigo da difamação. Precisarei de saber.

VANBRUGH: A minha fonte não deseja ser revelada.

CIBBER: *(Pausa, maliciosamente:)* Lady Brasenose, talvez?

VANBRUGH: O que te leva a dizer isso?

CIBBER: Então sempre é Lady Brasenose. Ela entra na peça... uma criatura muito misteriosa... e a par de todos os passos em falso ou motivos nefastos. Uma mulher fascinante! Posso conhecê-la?

VANBRUGH: Prometi proteger a reputação da minha fonte...

CIBBER: Sim, sim, claro. Como queiras. Mesmo assim, é pena. *(Pausa.)* Bem, com alguns ajustes aqui e ali, ainda somos capazes de ter peça.

VANBRUGH: Óptimo. Excelente. Obrigado, Colley.

CIBBER: Porquê?

VANBRUGH: Por decidires arriscar.

CIBBER: De modo algum. Sou empresário teatral. Arriscar é a minha vida. E o que é a vida sem risco?

VANBRUGH: Então, devo aguardar por mais instruções tuas?

CIBBER: Sim... sim, deixa comigo. Mal entenda que é a altura indicada, ponho a máquina em movimento. Deixa comigo.

VANBRUGH: Excelente.

CIBBER: Bem-vindo de novo ao teatro, John. Mas...

VANBRUGH: Sim?

CIBBER: Não podemos usar o teu nome.

VANBRUGH: Pois é...

CIBBER: Talvez um anagrama?

VANBRUGH: Arranjas um para "Vanbrugh"?

CIBBER: Arranjo. *(Faz uma vénia.)* "H... Van... Grub".

VANBRUGH: Soa a holandês, Colley... mas por que não? *(Vénia a brincar.)* Um vosso servo, Sr. Cibber.

CIBBER: E eu, Sr. Van Grub, um vosso.

(Vanbrugh sai. Cibber toma uma bebida. Sai. Ouvimos o som de público no teatro, talvez misturado com algumas linhas de uma peça. Depois termina. Aplausos.)

FIM DA CENA 8

CENA 9

Londres, 1731. Aplausos enquanto Cibber
(nos bastidores) coloca a peruca de Newton,
etc. A iluminação muda – acende-se a ribalta
e a cortina desce. Cibber entra e faz uma
vénia acentuada aos aplausos. Depois pede
silêncio para o seu discurso do epílogo.

CIBBER: Vistes, então, a triste consequência
Da fuga dos princípios nos homens de
consciência.
Um crítico da moral aqui não tente
Ver maior vício que um escândalo – da mente.
Com a Luxúria já fora de prática,
São os espíritos fátuos que usam a matemática;
No salão de Lady Brasenose algo está mal
Pois o pecado é mais intelectual.
Cavalheiros, não leveis a mal, aqui no palco,
Brincarmos com Newton e o seu Cálculo.
Ele aos ombros de gigantes; eu, à cabeça,
Ouso defender a nossa humilde peça;
E se, ao lutarmos pelo vosso prazer,
Sir Isaac sofreu – virá o arrepender.
Além disso, nenhum comentário torto
Sobre a peça é bem-vindo – o autor está morto.

Embora por poucos conhecido em vida,
Para H. Van Grub a imortalidade é devida.

*(Ele faz de novo uma vénia aos aplausos. Com
um deslizar teatral para o fundo do palco
desaparece por trás da cortina. Um momento
de aplausos. A qualidade do som altera-se,
vai ficando abafado, e a iluminação muda
para o gabinete de Cibber. Este reaparece,
pela porta, ainda no figurino. Fecha a porta.
Tira uma garrafa da secretária e toma uma
bebida. Depois afasta a cortina para revelar
um retrato de Newton aí colocado na parede.
Faz um brinde ao retrato.)*

CIBBER: A nós... na fama... e na infâmia. Que
muito...

*(É interrompido por batidas na porta. Abre.
À porta está uma jovem actriz com o vestido
de Lady Brasenose da cena 8. Está quase sem
fôlego da excitação.)*

ACTRIZ: Colley!

CIBBER: Minha cachorrinha!

(Ela entra apressadamente, deixando a porta aberta. Abraçam-se. Têm, claramente, um caso.)

CIBBER: Um desempenho bastante promissor! *(Tenta um beijo, que ela desvia, ao que ele continua:)* Na realidade... bastante bom!

ACTRIZ: Bastante? *(Pausa.)* Não <u>muito</u> bom? *(Beija-o rapidamente.)*

CIBBER: A brincar com o leque, com o Senhor Bonet, na cena do salão...

ACTRIZ: Foi demasiado?

CIBBER: Não, não! Muito subtil!

ACTRIZ: Oh, Colley...

(Abraçam-se. Ele atira fora a peruca, dizendo:)

CIBBER: As perucas metem-se no caminho!

ACTRIZ: Colley... quero mais...

CIBBER: Então terás mais, minha cachorrinha!

(Ele tenta desapertar-lhe o vestido.)

ACTRIZ: *(Impede-o.)* Mais diálogo, Colley... mais cenas... mais de acordo com o meu talen-to...

CIBBER: Tenho a certeza que se pode arranjar...

(Volta a tentar desapertar-lhe o vestido.)

ACTRIZ: Prometes?

CIBBER: Com um bocadinho de persuasão...

ACTRIZ: Oh, Colley!

(Ela põe-se de joelhos e começa a desapertar-lhe os calções.)

CIBBER: Fecha a porta, por amor de Deus...

ACTRIZ: *(Excitada, ignorando o último comentário:)* Oh, Colley!

(Demasiado tarde. Cibber repara em Arbuthnot, de pé, à entrada da porta. Ao vê-lo, Cibber muda imediatamente de estratégia.)

CIBBER: Devassa! Não sabes que sou casado? Fora! Imediatamente!

ACTRIZ: *(Surpreendida.)* Colley! Mas porquê?

CIBBER: Fora, já disse, prostituta!

(Cibber empurra a actriz, passando por Arbuthnot, para fora da porta.)

CIBBER: *(Com desdém:)* Estes actores insistentes! Faça o favor de entrar, Sir.

(O Dr. John Arbuthnot (agora com sessenta e quatro anos, de saúde fraca, sofrendo de

gota e pedras nos rins, dos quais morrerá
no prazo de quatro anos) entra lenta
e laboriosamente com a ajuda de uma
bengala, enquanto Cibber fecha a porta à
actriz.)

CIBBER: Uma tolinha... não me deixa em paz.

ARBUTHNOT: Evidentemente.

CIBBER: E quem tenho a honra de...

ARBUTHNOT: O meu nome é Arbuthnot, Sir.

(A expressão de Cibber esvai-se.)

CIBBER: <u>Dr.</u> Arbuthnot?
Sou, Sir, o vosso mais humilde,
mais obediente...

ARBUTHNOT: Deixemos isso, Sr. Cibber.
Porquê? Porquê? Porquê? *(Pausa.)* Porquê?

CIBBER: Porquê o quê?

ARBUTHNOT: Porque é que tive de esperar seis anos para testemunhar esta perversão...

| *(Indica o retrato de Newton na parede.)*

CIBBER: *(Interrompe.)* Devo depreender que vos referis à minha actuação?

ARBUTHNOT: A vossa actuação foi o menos!

CIBBER: Obrigado. Então, assististes agora mesmo?

ARBUTHNOT: Assisti.

CIBBER: A sexta actuação... e ainda casa cheia.

ARBUTHNOT: Uma multidão que se desloca em rebanho para o teatro pouco revela da qualidade de uma peça... ou da sua veracidade.

CIBBER: Desde quando a veracidade em palco é uma virtude?

ARBUTHNOT: Quando não é usada para dissimular distorções.

CIBBER: A nossa foi aplaudida... a vossa peça, *Três Horas após o Casamento*, foi vaiada. A vossa nasceu praticamente morta, em 1717, e não passou da segunda actuação. E não sei de nenhuma reposição.

ARBUTHNOT: Isso é socar abaixo do cinto.

CIBBER: Do cinto de quem? John Gay, Alexander Pope ou do vosso? *(Com escárnio:)* Precisando de três cozinheiros para um fraco pudim teatral... pretendendo ser espirituosa mas, no final, sem qualquer sabor a espírito. *(Curta risada sarcástica.)* Pedindo aos actores para fazer um bom trabalho carregando o fardo de um mau guião... ou seja, terem de ser bons a ser maus!

ARBUTHNOT: Demasiado esperto... não valendo, portanto, a pena responder. É mais provável serdes lembrado pela vossa pena afiada do que pela vossa língua.

CIBBER: *(Picado:)* Como?

ARBUTHNOT: Tivestes a audácia... alguns
até lhe chamaram impertinência... de adaptar
Ricardo III, mas acrescentastes uma linha...
"Cortem-lhe a cabeça. Acabou-se o
Buckingham"[7]... que, suspeito, será lembrada
por mais tempo do que todas as palavras que
alguma vez dissestes em palco.

CIBBER: Isso é um elogio ou uma afronta?

ARBUTHNOT: A escolha é vossa! É da vossa
peça *Cálculo* que quero falar... uma verdadeira
afronta. Será um palco o local para lavar roupa
suja em público?

CIBBER: Em que outro local lavar semelhante
roupa? O palco é o único sítio onde nada precisa
ser escondido.

---

[7] "Off with his head... so much for Buckingham"

ARBUTHNOT: Pusestes Sir Isaac em palco e chamaste-lo pelo seu nome verdadeiro. Um país necessita de heróis... imaculados. De que serve mostrar que o maior filósofo natural de Inglaterra tem defeitos... como os outros mortais?

CIBBER: Por que não vê-lo como realmente era: um herói manchado. Inventor do Cálculo? Sim! Mas também corruptor de um cálculo moral. E Leibniz... não merece alguma defesa?

ARBUTHNOT: Deixemos essa preocupação para os alemães.

CIBBER: O nosso Newton repousa na Abadia de Westminster sob o monumento a um herói. Mas seja qual for o seu túmulo, ambos continuam a apodrecer.

ARBUTHNOT: Um juízo médico ou mais um juízo moral?

CIBBER: *(Conciliatório.)* Uma vez que sois médico, médico seja. Já discutimos o suficiente.

ARBUTHNOT: E qual foi a vossa participação nisto?

CIBBER: Sir John criou o cenário, ele escolheu as personagens, ele desenterrou a porcaria e ele é que a espalhou. Eu apenas ajudei com a vassoura e a pá... excepto no final. No seu leito de morte, Sir John pediu-me que completasse a peça... chegando a oferecer-me a epígrafe: <u>frango ut patefaciam</u>.

ARBUTHNOT: "Quebro para revelar".

CIBBER: O vosso latim é perfeito. Acedi... com algumas reservas, a terminar a peça.

ARBUTHNOT: Não só a terminastes como entrastes nela.

CIBBER: Também sou actor, para além de escritor.

ARBUTHNOT: Melhor actor que autor.

CIBBER: *(À parte.)* Uma opinião que já ouvi
antes. A peça era para ser uma vingança...
embora a vingança, como o amor, raramente
seja consumada por procuração. No entanto,
direccionar a retaliação aos árbitros dos
nossos costumes chegava-me. Não era eu,
também, objecto do seu escárnio? (*Pausa.*) A
amabilidade, numa peça, não é uma virtude...
nem são amáveis os dramaturgos.

ARBUTHNOT: E quanto à equidade? Isto
é a Inglaterra... temos leis sobre a equidade.
(*Pausa.*) Pensai na difamação.

CIBBER: Pensei. Quando Sir John morreu,
Newton tinha oitenta e quatro anos e estava
debilitado. Decidi aguardar...

ARBUTHNOT: Que Newton morresse?

CIBBER: Os mortos não podem ser
difamados... mesmo que revelar fraquezas
humanas fosse considerado território de
difamação.

ARBUTHNOT: Uma opinião legal?

CIBBER: Uma opinião lógica... num país em que as melhores leis protegem frequentemente os seus piores cidadãos... Vanbrugh estava certo: a mais profunda corrupção... o escândalo mais vil... é intelectual... e não sexual.

ARBUTHNOT: No entanto o modelo que usastes na vossa peça foi o nosso comité.

CIBBER: Bem posto, Dr. Arbuthnot!

ARBUTHNOT: E uma vez que eu estava no Comité...

CIBBER: Também estivestes na nossa peça.

ARBUTHNOT: E entre as personagens principais! Não era suposto os actores contarem, em vez de mostrarem?

CIBBER: Isso é motivo para queixa?

ARBUTHNOT: Dos grandes... tendo em conta a forma como me retratastes. *(Zangado.)* Ainda estou vivo!

CIBBER: E pleno de vigor, como acabastes de demonstrar.

ARBUTHNOT: A minha saúde está terrível. Sofro intensamente de febres misteriosas e de uma pedra enorme no meu rim direito... E agora a gota! *(Fazendo uma careta, aponta, com a bengala, para o pé.)* Enterrei seis dos meus filhos e, recentemente, a minha esposa... e agora vejo a minha reputação igualmente enterrada!

CIBBER: *(Desconfortável.)* Por favor aceitai as minhas condolências...

ARBUTHNOT: De vós... que me fustigastes com um chicote.

CIBBER: Um chicote moral... vamos com calma... e numa peça, apenas.

ARBUTHNOT: E, por isso mesmo, pior...
com uma exposição demasiado pública e um
sofrimento muito maior. Justificava-se? Julgais
que fostes muito esperto, Sr. Cibber, mas como
soubestes dos factos que pretendestes relatar?

CIBBER: Por Vanbrugh.

ARBUTHNOT: Aha! E ele?

CIBBER: Suspeito que de Lady Brasenose.
Tudo que sabemos aponta para ela... mesmo o
anagrama infame.

ARBUTHNOT: *(Com desdém.)* Ah sim...
anagramas! *(Tom afectado.)* Como em
"Cálculo: uma Moralidade, por H. Van Grub e
Colley Cibber". *(Com desdém.)* Absolutamente
transparente!

CIBBER: Sir John tinha planeado usar um
pseudónimo, e eu propus que ele escolhesse "H.
Van Grub"... achei-o engenhoso. Afinal, "grub", em
inglês, significa escavar... a porcaria, normalmente.

ARBUTHNOT: Estou familiarizado com esse significado, Sr. Cibber. E onde pensais que Lady Brasenose obteve as suas informações?

CIBBER: De várias fontes... Bonet, por exemplo.

ARBUTHNOT: Como sabeis que Lady Brasenose conhecera Bonet?

CIBBER: Porque...

ARBUTHNOT: Sim?

CIBBER: Porque... *(pausa)* porque ela disse.

ARBUTHNOT: Ouviste-la dizer?

CIBBER: Os nossos caminhos nunca se cruzaram. Ela disse a Sir John.

ARBUTHNOT: Ele disse isso?

CIBBER: Presumi... porque ele assim deu a entender.

(Pausa.)

CIBBER: A minha presunção estava errada?

(Arbuthnot não diz nada.)

CIBBER: Estais a dizer que o que Lady
Brasenose sabia acerca de Bonet, soube-o de
outra pessoa?

ARBUTHNOT: Por amor de Deus, homem! Sois
tão obtuso quanto dissoluto?

CIBBER: Se percebi o que quisestes dizer... devo
ser. Mas então como é que Moivre encaixa no
meio disto tudo?

ARBUTHNOT: *(Sarcástico.)* O que é que
soubemos por ele... em *Cálculo*? Que ele
era pobre? Todos os membros da Royal
Society estavam a par da sua pobreza...
e aqueles que poderiam tê-lo ajudado a
ultrapassá-la... não o fizeram... pelo menos
até ao dia de hoje.

CIBBER: *(Ainda mais defensivo.)* Ele falou de fluxões... e de cálculo... e...

ARBUTHNOT: *(Curto riso sardónico.)* Matemática? Há muito pouco acerca disso no vosso *Cálculo*... para além do comer de uma maçã. Mas por que razão deveria haver? É acerca de dois gigantes nas respectivas áreas.

CIBBER: E dos seus cálculos morais. Ao mostrar como, mesmo pequenas mudanças incrementais ao longo do tempo... chamemos-lhes fluxões no nosso contexto... levaram a conflitos apreciáveis entre os seus serviçais: os comerciantes da lisonja... progenitores de mentiras... disseminadores da coscuvilhice... os lambe-botas deste mundo... as personagens Rosencrantz e Guildenstern... que nós, os actores, tão bem conhecemos... e reencontramos nesta peça. Quando Sir John falou de vingança... ele queria dizer vingança lançando luz sobre semelhantes homens e sobre uma sociedade que os encoraja.

ARBUTHNOT: Não apoiei qualquer dos conflitos deles. Prefiro solucionar a discórdia...

CIBBER: Mesmo com grande prejuízo pessoal, dir-se-ia

ARBUTHNOT: Por vezes. Vim aqui para pedir... não, para insistir... que canceleis todas as futuras apresentações da minha peça...

CIBBER: *(Interrompe abruptamente.)* Peço-vos que repitais o vosso último comentário.

ARBUTHNOT: Eu disse... que insisto que canceleis todas as futuras apresentações da...

CIBBER: "<u>Minha</u> peça".

ARBUTHNOT: Certamente.

CIBBER: Dissestes da "minha peça".

ARBUTHNOT: *(Irritado.)* Sim, sim... da vossa peça.

CIBBER: Não dissestes "da vossa peça",... como sendo eu. Dissestes "da minha peça"... como sendo vós.

ARBUTHNOT: Um pequeno engano.

CIBBER: Terá sido?

ARBUTHNOT: Onde quereis chegar, Sr. Cibber?

CIBBER: Fostes vós! Não é verdade?

ARBUTHNOT: Fui eu o quê?

CIBBER: Fornecestes as pistas a Lady Brasenose, não foi?

ARBUTHNOT: Porque faria eu isso?

CIBBER: Vingança, talvez?

ARBUTHNOT: Não... vingança certamente que não.

CIBBER: Mas fostes <u>vós</u>, não foi? *(Pausa.)* Ou acaso conseguis convencer-me do contrário?

ARBUTHNOT: Ninguém poderia ter contado o que quer que fosse a Lady Brasenose... porque ela nunca existiu.

CIBBER: *(Completamente apanhado de surpresa.)* Perdão?

ARBUTHNOT: Lady Brasenose é produto de pura invenção.

CIBBER: Mas que raio? Quereis dizer que Sir John a criou?

ARBUTHNOT: Fê-lo... por sugestão minha.

CIBBER: E, no entanto, nunca mo disse? Impossível! Sir John era um homem de honra.

ARBUTHNOT: Sem dúvida. Ele deu-me a sua palavra que protegeria a minha identidade... e, evidentemente, manteve a sua promessa.

CIBBER: Mentindo-me a mim...

ARBUTHNOT: Ele não mentiu. Optou por não oferecer informações não perguntadas. Talvez um pecado de omissão... mas seguramente que não a perpetração de uma mentira.

CIBBER: Mas por que razão fostes, logo à partida, falar com o Vanbrugh?

ARBUTHNOT: Pertenci, em tempos, a um clube de escrita com talentos tais como Pope, Swift e Gay. Frequentemente ridicularizávamos a erudição pretensiosa e o calão académico. Mas, nem a erudição de Newton e Leibniz, nem o calão da sua disputa académica, eram pretensiosos. A maior parte era veneno que diminuía ambos. O ridículo não era cura. Tentei um entendimento, chamar à razão... no entanto falhei. E, uma vez que todas as facções acabam por morrer ao engolir as próprias mentiras...

CIBBER: Penso ter lido isso algures.

ARBUTHNOT: É d'*A Arte da Mentira Política*...
um livro que escrevi.

CIBBER: A auto-citação não garante veracidade.

ARBUTHNOT: Nem a exclui. Pensei que o
indicado era uma mensagem séria... uma espécie
de vingança moral. Porque não uma peça... uma
moralidade... mas convenientemente disfarçada
e à prova de acusações de difamação... para
dar uma lição? Até escolhi o título. Afinal, toda
a gente estava a calcular, de uma maneira ou
de outra... mesmo aqueles que nada sabiam de
cálculo.

CIBBER: Mas se a desaprovastes, porque não
escrevestes vós a peça?

ARBUTHNOT: *(Sarcástico.)* Como Newton pre-
gava, embora nunca tenha praticado, "nenhum
homem é testemunha em causa própria". Mas
não é verdade que Vanbrugh era exímio a escrever peças sobre pessoas reais bem disfarçadas?
Fiz-lhe uma proposta: fornecer-lhe-ia... passo

a passo... informações... que ele depois usaria... de forma discreta... como argumento... de uma peça, para dar uma lição... uma lição moral... e não o ataque difamador que vós produzistes.

CIBBER: E Sir John concordou?

ARBUTHNOT: Com uma condição. Eu não veria o texto até à primeira actuação.

CIBBER: E vós concordastes com isso?

ARBUTHNOT: Concordei... Confiava na sua discrição como cavalheiro e no seu bom juízo como dramaturgo. Embora agora me arrependa de ter acedido à sua exigência de autoria sem restrições.

CIBBER: E o meu papel nisto tudo?

ARBUTHNOT: Desconhecido para mim... até hoje.

CIBBER: Estou pasmado.

ARBUTHNOT: Também eu fiquei... hoje, quando me sentei na audiência. Esperava uma peça que até Newton pudesse ter visto. Certamente, não gostado... mas visto... porque a subtileza do autor teria prevenido acusações abertas.

CIBBER: Pensei que era para dar uma lição.

ARBUTHNOT: Sim, mas as moralidades devem dar uma lição a que o acusado pode assistir. Queria ferir Newton sem deixar marca. Mas com o vosso *Cálculo*... para o denegrir para sempre... tivestes de aguardar pelo seu enterro.

CIBBER: Sir John insistiu em nomear Newton.

ARBUTHNOT: Oh... Sir John insistiu, de verdade? Quando eu lhe pedira especificamente para não o fazer?

CIBBER: *(Recua.)* Bem... talvez não tenha insistido... mas não objectou.

ARBUTHNOT: Apesar da minha insistência para que Newton não aparecesse na peça?

CIBBER: Ele nunca me disse para não o fazer... porque nunca me disse que vós lhe dissestes para não me dizer...

ARBUTHNOT: Porque eu nunca soube da vossa participação...

CIBBER: Nem eu do vosso envolvimento.

| *(Silêncio.)*

CIBBER: Ele nunca me disse como queria terminar a peça... e entretanto morreu.

ARBUTHNOT: E como esperáveis <u>vós</u> que terminasse, Sr. Cibber? Com o triunfo da verdade e da justiça sobre a perversão moral? Desejei que alguém escrevesse uma peça sobre o <u>custo</u> de destruir reputações... ao passo que *(sarcástico)*... "H. Van Grub" e vós decidistes simplesmente destruir reputações... a qualquer

custo. Poderíeis tê-la alterado, Sr., Cibber.
Estava ao vosso alcance. Poderíeis ter mudado
tudo.

CIBBER: Eu apenas escrevi algumas das
palavras para encaixar a informação que me
foi abertamente revelada. Mas se vos desgosta
o papel que desempenhastes, poderíeis ter-vos
apresentado no papel de herói.

ARBUTHNOT: Nesta peça não há heróis.

CIBBER: *(Voz surpreendentemente amável.)*
Nem vós sois o vilão. E nenhum de nós vos
apresentou como tal. Nem mesmo vós.
A verdadeira culpa estava noutras paragens.

ARBUTHNOT: A minha esposa foi para o
túmulo a saber que o esposo não era o homem
de princípios inabaláveis que julgara. Não será
já suficiente eu ter de suportar isto, sem que o
público também o tenha de saber?

CIBBER: Talvez tenhamos todos calculado mal.

ARBUTHNOT: Talvez tenhamos, Sr. Cibber...
talvez tenhamos.

CIBBER: Um vosso servo, Sir.

*(Arbuthnot ergue-se dolorosamente, apoian-
do-se pesadamente na bengala, e começa a
afastar-se, a coxear.)*

FIM DA PEÇA